ハヤカワ文庫 NF

〈NF585〉

ハウ・トゥー

Q 2　紙の本を10億年保存するには

ランドール・マンロー

吉田三知世訳

早川書房

8767

HOW TO
Absurd Scientific Advice for Common Real-World Problems

by

Randall Munroe
Copyright © 2019 by
xkcd inc.
Translated by
Michiyo Yoshida
Published 2022 in Japan by
HAYAKAWA PUBLISHING, INC.
This book is published in Japan by
arrangement with
XKCD INC.
c/o THE GERNERT COMPANY
through TUTTLE-MORI AGENCY, INC., TOKYO.

本文イラスト：© Randall Munroe

目　次

Q1 目 次

*本文訳注は（）内に小さな文字で示した

ハウ・トゥー
Q2　紙の本を10億年保存するには

第15章 小包を送るには

（宇宙から）

　2001年から2018年までの平均値によれば、どの瞬間にも15億人当たり1人の人間が宇宙におり、そのほとんどが国際宇宙ステーション（ISS）に滞在している。

　ISSの乗組員たちが地球に小包を送るときは、地球に戻る乗組員を乗せた宇宙船に一緒に載せてもらう。しかし、地球に向かう宇宙船の予定がしばらくなければ——あるいは、あなたのネットショッピングの返送品を運ばされるのにNASAがいいかげんうんざりしたら、あなたは自分でなんとかしなければならないだろう。

「返送用ラベルには、どこからでも
送れますって書いてあるよ！」

「その靴、ここに持ってくる前に
試し履きしとくんだったわね」

　国際宇宙ステーションから物体を地球に下ろすのは簡単だ。扉から外へ投げて、待てばいいだけだ。最終的には、それは地球に落ちるだろう。

　ISS の高度では、大気は非常に薄い。薄いが、小さいけれど測定可能な量の抗力を生じるには十分だ。この抗力で物体は遅かれ早かれ減速し、徐々に低い軌道へと落ちていき、ついには大気圏に突入し、（普通は）燃え上がる。ISS もこの抗力を感じている。そこで ISS は低くなってしまった高度を元に戻すために、定期的にスラスタを使って軌道を修正している。さもないと軌道が徐々に減衰して、ついには地球に落下してしまうだろう。

　宇宙飛行士たちはしょっちゅう、意図せずにこの方法を使って荷物を地球に送っている。ISS 滞在中に船外活動をしていた宇宙飛行士たちは、これまでにさまざまな物体を誤って落としてきた。ペンチ、カメラ、道具袋、それに、ある宇宙飛行士がテストのために補修用接着剤を塗布するのに使っていたヘラを落としたこともあった。こうした不注意によって生まれた人工衛星は、軌道が減衰して落下するまで数カ月から数年にわたり地球を周回している。

「おっと！
あのー、ミッション管制センター、こちらイーグル・ワン。
えっと、われわれの最新の人工衛星を発射したことをご報告します」

あなたが扉から外へ投げた小包は、長年のあいだに国際宇宙ステーションからどこへともなく遠ざかっていったすべての部品、袋、そしてあれやこれやの装置の破片などと同じ運命をたどる。つまり軌道からそれて、大気圏に突入するのである。

軌道配送便

配送オプション	配送時間	価格
○ 特急便（弾道配送）	45分	7000万ドル
○ 優先便（ソユーズ輸送＋航空便）	3～5日	20万ドル
◉ エコノミー便（大気の抗力）	3～6カ月	無料

この配送方法には、大きな問題がふたつある。まず、あなたの小包は地面に届く前に大気圏内で燃え尽きてしまうだろう。そしてふたつめに、仮に燃えてしまわないとしても、それがどこに落ちるのかは神のみぞ知るだ。小包を相手先に届けるためには、このふたつの問題を解決しなければならない。

まず、小包が燃え尽きずに地面に届くにはどうすればいいかを見てみよう。

大気圏再突入時の加熱

大気圏に入った物体はたいてい燃え尽きてしまう。それはなにも、空間になんだかわけのわからない性質があるからではない。地球の周りで軌道の上を運動しているすべてのものが、極めて速いからだ。このような速度の物体が大

気に入ってくると、空気には移動して物体をよけるだけの時間がない。そのため空気は圧縮され、温度が上昇しプラズマになるが、その過程で物体は溶けたり蒸発したりすることが多い。

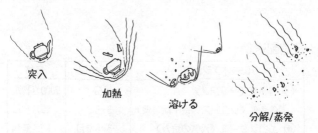

突入

加熱

溶ける

分解/蒸発

　宇宙船の場合は、再突入で破壊されないように前面をヒートシールドで覆い、発生した熱を吸収させて、宇宙船全体を守る[(1)]。また、これらのシールドは特殊な形になっており、衝撃波（船体が超音速で落下するため衝撃波が生じ、衝撃波の周囲で超高温になった空気がプラズマ化する）と宇宙船のあいだに空気のクッションの層を作って、最も高温のプラズマが船体に接触しないようにしている。

（1）　再突入時、まずロケットを使って宇宙船を減速し、その後低速で大気圏に入れば、かさばるヒートシールドなどいらなくなるではないか、と思う人もいるだろう。その疑問に対する答は簡単だ。つまり、その方法では大量の燃料が必要になり、非現実的なのだ。火星探査機ローバー、キュリオシティやスペースＸ社の再利用可能ランチャーなどのロケットを使って着陸する宇宙船は、まず大気の抗力を使ってあらかた減速してしまってから、最後の減速にロケットを使うだけだ。

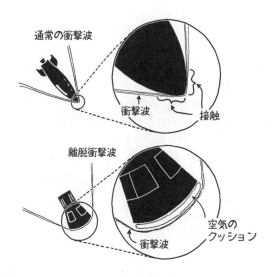

通常の衝撃波

衝撃波　　接触

離脱衝撃波

空気の
クッション

衝撃波

　大気圏に再突入する物体がどんな運命をたどるかは、その大きさしだいだ。

　地球の大気の重さは、深さ 10 メートルの水の層とほぼ同じだ。隕石が地表まで落ちてくるかどうかは、隕石がほ

　重力に逆らって、宇宙船を十分な高速で軌道に打ち上げるには、宇宙船自体の重さの数十倍の燃料が必要だ。ロケットが非常に大きいのはそのためだ。逆に減速するときも、ほぼ同じ量の燃料が要（い）る。したがって、ロケットの打ち上げとは、20 トンの燃料で 1 トンの宇宙船を軌道まで運ぶというよりむしろ、減速して地球に帰還するために 1 トンの宇宙船と 20 トンの燃料を打ち上げるのにほかならない。しかしこれは事実上、1 トンの宇宙船ではなく 21 トンの宇宙船を打ち上げることになって、必要な燃料は 420 トンになる。420 トンの燃料に比べたら、45 キログラムのヒートシールドははるかに効率的な解決策である。

んとうに深さ10メートルの水に突入するとどうなるかを考えれば推測できる。水底に達するために押しのけなければならない水よりも、隕石のほうが重ければ、隕石が底まで届く可能性が高い。この考え方は、大まかな推測にはそこそこ役立つ。

　非常に大きな物体（家くらい、またはそれ以上の）は慣性が十分大きいため、あまり速度が下がらないまま、大気圏を貫通して地表に到達することができる。地表にクレーターを残すような物体がこれだ。

　小さな物体（小石くらいの大きさから自動車くらいの大きさのものはすべて）は、小さすぎて大気を突き抜けることはできない。大気圏に突入するとだんだん熱くなり、ついにはばらばらになるか、蒸発するか、あるいはその両方が起こる。このような大きさのものが完全に破壊されずに地表まで落ちてくることがときどきあるが、それはほかの破片が熱を吸収して保護していたから、あるいは再突入の条件に耐えられる材質だったかのいずれかによる。しかし、実際にそのようなことが起こる場合、そうした物体は軌道速度を失い、終端速度に達して、まっすぐ地表に落下するだろう。ばらばらになる際に束の間熱くなったあとは、冷たい高層大気のなかを数分かけて自由落下する。隕石が発見されたときにとても冷たいことが多いのは、このためだ。

　生き延びた破片は、比較的低速で地表にぶつかる。柔らかい土や泥の上に落ちたなら、土や泥が少し跳ね上がるだろうが、クレーターが残ることはほとんどないだろう。隕石の衝突によって地表にできたクレーター（「衝突クレーター」）がすべて大きいのはこのためだ。元々軌道で周回

していたときの運動エネルギーを維持しながら地表まで落ちてこられるのは、大きな物体だけだ。直径が60センチの衝突「クレーター」——それを作った物体よりわずかに大きいだけのもの——もあれば、直径数百メートルの衝突クレーターもあるが、そのあいだの大きさのものは珍しい。

大気圏を通過して地面まで届くだろうか？

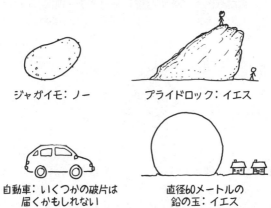

ジャガイモ：ノー　　　プライドロック：イエス

自動車：いくつかの破片は　　　直径60メートルの
届くかもしれない　　　　　　鉛の玉：イエス

（訳注：プライドロックは、映画やミュージカルの『ライオンキング』に登場する象徴的な岩）

　熱に対するシールドがなければ、大気圏に再突入した宇宙船は大気中で分解してしまう。大型の宇宙船がシールドなしに大気圏に突入すると、普通その質量の10〜40％は地表まで達するが、それ以外の部分は溶け去るか蒸発するかだ。ヒートシールドがこれほど広く使われているのはこのためだ。

　落下するあいだ小包を守るために、あなたもヒートシー

ルドを使うことができる。最も簡単なタイプは、アブレー
タ型耐熱材料を使ったシールドだ。この耐熱材料は、加熱
されるあいだに熱分解して強固な炭化層を形成するもので、
言わば自分は燃えながら守ってくれる。スペースシャトル
に使われる耐熱タイルのようには再利用できないが、はる
かに単純で、より幅広い条件下で使用できる。そのような
わけで、あなたはカプセルを正しい向き——前がヒートシ
ールド、小包が後ろ——に作り、それを送り出せばいいだ
けだ。

　最後の落下に備えてパラシュートも搭載したいと思うか
もしれないが、小包の中身がソックス、ペーパータオル、
あるいは手紙などの軽いもの、または耐久性のあるものな
らば、終端速度での落下にもあまり損傷を受けずにすむか
もしれない。
　大気圏再突入で持ちこたえられるように設計された人工
物はすべて、湾曲したヒートシールドで保護されている—
—2、3の例外はあるが。

アポロのスーツケース

アポロ計画では、月着陸を目標に、宇宙飛行のチームを7つ送り出した。特にここで注目したいのは、どのチームもスーツケースほどの大きさの、「実験装置群（実験パッ・・ケージ、つまり実験小包）」を持って行ったことだ。このパッケージは月面に置いて帰り、その後さまざまな測定を行ない、情報を地球に送信することになっていた。7つのパッケージのうち、6つはプルトニウムの放射能を電力源としていた（アポロ11号に載せられた最初の実験パッケージはもっと単純で、太陽光発電を使っていたが、温度を維持するためにプルトニウムも使っていた）。

アポロのチームのうち6つは月面に着陸し、それぞれのスーツケースを月面に設置した。しかし、よく知られているように残りの1チーム、アポロ13号の乗組員らは、月面に着陸できなかった。宇宙船の一部が爆発したあと彼ら[(2)]はミッションを中止し、地球に戻った。全員無事でよかった、彼らこそ英雄だ、云々。だが、そのスーツケースはどうなったのだろうか。

---

(2)　それほどひどいことではなかった。あ、いや、おおよそそのくらいひどいことだった（訳注：発端となる爆発を起こしたのは酸素タンクだった）。

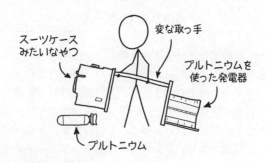

スーツケース
みたいなやつ

変な取っ手

プルトニウムを
使った発電器

プルトニウム

　宇宙飛行士たちは月には行けなかったので、プルトニウ
ムが入ったスーツケースを月に置いていくこともできなか
った。そのためスーツケースは彼らとともに地球に戻って
きたのだが、それが問題を引き起こした。

　なかに宇宙飛行士全員が乗った状態で地球の表面に安全
に帰還するように設計されていたのは、司令船だけだった。
月着陸船を含め、アポロ13号のそれ以外の部分は大気中
で燃え尽きるように設計されていた。司令船には、宇宙飛
行士と彼らが収集した月面の試料が入るだけのスペースし
かなかった。実験装置のスーツケース──そして、それと
は別に保管されていた発電器用のプルトニウムのコアも─
─は、燃え尽きる運命の着陸船のなかに入れたままにする
しか仕方ない。しかし、プルトニウムを収納している容器
がばらばらになったら、放射性物質が大気中に散乱するこ
とになるだろう。[(3)]

　さいわい、このスーツケースに携わった技術者たちは、
この可能性を予見していた。プルトニウムは小型の消火器

のような形と大きさをした、強度が極めて高いキャスク
（核燃料を保管しておく容器）のなかに入れられており、グラ
ファイト、ベリリウム、そしてチタンの層によって保護さ
れていた。この保護シェルのおかげで、それが載っていた
月着陸船が激しく壊れても、プルトニウムは大気圏再突入
を耐え抜くことができるようになっていたのである。

重要ではない

重要

　アポロ13号の乗組員たちが、地球に近づいてきたとこ
ろで司令船に移動したとき、スーツケースは月着陸船のな
かに置き去りにされた。そして彼らは、月着陸船が太平洋
で最も深い場所のひとつ、トンガ海溝の上空に向かうよう
に、エンジンを点火して切り離した。キャスクを海に落下
させて、海底に沈ませようと考えたのだ。その後数十年間、
そのあたりで異常に高い放射能が検出されたことはない。
つまり、保護シェルは立派にその役目を果たしたというこ

_____

（3）　だが、この事故が起こったのは20世紀なかごろだった——大気中
に放射能を帯びた粒子が拡散するのを心配するくらいなら、あんなに多く
の核爆弾が爆発する事態をこそ心配すべきだった、と思われるかもしれな
い。だが、私に何がわかるだろう。なにしろ、私が生まれる前の話なので。

とだ。プルトニウムのキャスクは、今日なお太平洋の海底
に沈んでいる。プルトニウムは今では半分くらい崩壊して
しまっただろうが、2019年時点でなおも 800 ワットを超
える熱を発生しつづけている。今ごろ、ぬくもりを求める
深海生物が抱きついているかもしれない（その後発熱量は
徐々にだが低下している）。

手紙を送る

　大気圏再突入の技術的困難を避ける最善の方法のひとつ
は、ヒートシールドを使うのをやめて、もっと単純な解決
策、茶封筒を使うことかもしれない。

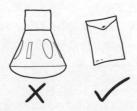

空気抵抗の影響を大きく受ける軽い物体は、大気の密度

が低い、より上空で減速を始める。空気が非常に薄くて物体の温度上昇の効率が比較的低いので、再突入にかかる時間が長くなるにしても、到達する最高温度ははるかに低い可能性がある。じつのところ、ジャスティン・アチソンとメイスン・ペックの計算によって、紙のような形の物体を縁(へり)ではなく平たい面を下にして落ちるように湾曲させたものは、理論的には、特に高い温度には到達せずに、「穏やかに」大気に入ることが示された。

　料理に使うベーキングペーパー、アルミホイル、もしくはその他の耐熱性のある薄くて軽い材料にメッセージを書けば、それをただそのまま扉から外に投げればいいかもしれない。正しい形にさえなっていれば、地面まで無傷で届く可能性もありそうだ。実際、日本の研究者らのチームがISSから紙飛行機を飛ばして、これを試そうと計画した。紙飛行機は再突入の熱と圧力に耐えられるように設計されたが、悲しいことに、このプロジェクトは今のところ実現していない（この実験は2019年に北海道の宇宙ベンチャー企業、インターステラテクノロジズが打ち上げを計画していた観測ロケットMOMO4号機で実行されることになっていたが、ロケットの打ち上げ自体が失敗し、まだ行なわれていない）。

　ISSから手で投げた小包は、多数の地球周回軌道を経て徐々に降下するが、最終的な着陸地点はほとんどコントロールできないだろう。小包の着陸地点を制御するのは、ただ単純に地球に送るよりもはるかに難しい。

　地球に帰還する宇宙船はたいてい、着陸地点をコントロールしようとする。その精度は、宇宙船によってまちまちだ。スペースＸの使用済みロケットブースター（ロケット

のエンジンの出力を増強するための、補助用のロケット）は、十分高精度の自動誘導により（つまり自らを高精度で誘導して）、船の甲板にあるターゲットに直接着艦できる。一方、アポロやソユーズなど昔の宇宙船は、ターゲットから数キロ外れて着陸（または着水）するのが普通だった。無制御で大気圏再突入を行なう宇宙船——あなたの小包のように——は、予定の着陸地点を数百から数千キロメートル外す可能性がある。

　小包をより正確に目的地に着地させるには、力いっぱい投げるといいだろう。速い速度で投げれば、小包をより直接的に大気に突入させることができる。空気抵抗によって軌道がゆっくりと、予測できないかたちで減衰していくのを避けることができるからだ。ちょっと驚いてしまうのだが、このときのコツは、小包を地球に向かって下向きに投げるのではなく、後ろ向きに（ISSの進行方向と逆向きに）投げることだ。下向きに投げたとしても、小包は軌道にとどまっていられるだけの前向きの速度を依然として持っている。ただほんの少し異なる軌道に移るだけである。それではダメで、あくまで小包が速度を失う必要がある。

　小包をより速く投げれば、それだけ着地の精度が上がる。ISSは秒速8キロメートル近い速度で運動しているが、さいわい小包をそこまで速く投げる必要はない。ISSの高度での軌道速度から秒速100メートルだけ速度を落とすことができれば、小包を大気圏に入らせることができる。だが

（4）　アポロ宇宙船の各司令船は海に着水した。ソユーズ宇宙船は、ぶつかりそうなものが何もない、カザフスタンの広大な草原に着陸した。

残念ながら、物を秒速 100 メートルで投げるのは難しい。最速の投手でさえ、球速が秒速 50 メートルを超えることはない。一方、ゴルフボールは、十分速く飛ぶ。ISS の隣を遊泳しているゴルファーは、もしかするとたった 1 打でゴルフボールを軌道から外すことができるかもしれない。あなたの小包がゴルフボールの大きさなら、この配送方法を試してみてはどうだろう。

　あなたが小包を秒速 100 メートルで外へ投げたなら、小包は約 1°下向きになって大気圏に突入するだろう。このとき、この小包の「デブリ・フットプリント」——小包が着陸するかもしれない領域——は、長さ 3000 キロメートルを超える。もしも狙ったのがセントルイスなら、モンタナとサウスカロライナのあいだのどこにでも落ちる可能性があるということだ。あなたがもう少し強く投げることができるなら——秒速 250 から 300 メートルで——、小包が大気圏に突入する角度がもう少し急になり、デブリ・フットプリントを 4、500 キロメートルに短縮できる。だが、どれだけ速く、またどれだけ正確に投げたとしても、乱気流と風がランダムなので、ターゲットに命中する精度は10 キロメートル弱という、不正確なものにとどまるだろう。

ミール

　2001 年 3 月、宇宙ステーション「ミール」（1986 年にソビエト連邦が打ち上げた宇宙ステーション）は大気圏に再突入しようとしていた。その大部分は燃え尽きると予想されたが、

一部の大型モジュールは地表に到達する可能性があった。ロシア（ソビエト連邦が 1991 年に崩壊後成立したロシア連邦）の宇宙管制センターの管制官たちは、残骸が太平洋の無人海域に落下するよう再突入のタイミングをはかろうとしたが、実際にどこに落ちるのか、正確なことは誰にもわからなかった。

　これに乗じてタコベル（アメリカの大手ファストフードチェーンでメキシコ料理を提供する）は、面白いキャンペーンを実施した。彼らは太平洋上に標的が描かれた巨大なシートを浮かべ、ミールの破片が 1 個でもこの標的に当たったなら、アメリカに住むすべての人に無料でタコスを提供すると発表したのだ。

　残念ながら、結局標的に破片はひとつも当たらなかった。[5] 大きな破片の大半は南緯 40 度、西経 160 度付近──「宇宙船の墓場」と呼ばれる、陸地からは遠く離れた、100 機を超える宇宙船の残骸が着水した海域──の海面に落ち、海底に沈んだ。

　ミールの残骸と称して、多くの品物が eBay のオークシ

──────────

（5）　タコベルは本気だったのだろうか？　たぶん、ある程度は。彼らは起こる可能性が低い「勝ち」（標的に破片が当たる）が起こってしまった場合の無料のタコスの費用を賄（まか）えるように、1000 万ドル（約 10 億円）の保険をかけた。これは企業が販売促進のために行なうコンテストや賭けなどの賞品の費用をカバーするための保険を提供する、SCA プロモーションズという保険会社の保険だった。企業が困難な課題を達成した人に巨額の賞金を約束したいとき、彼らはある定額を SCA プロモーションズに支払い、SCA は課題に成功した人が出たなら、賞金を支払う。しかし、タコベルが支払った保険料は、高すぎはしなかっただろう。なぜなら、彼らはオーストラリアの沿岸の近くに標的を設置したのだが、そこはミールの再突入経路の数千キロも西だったからだ。

ョンに出ているが、ミールのデブリだと確認されたものが回収されたことはいまだかつてない。もしもあなたがそのようなものを見つけたらいつでも、カリフォルニア州アーバインにあるタコベルの本社に持っていってみるといいだろう。タコスと交換してくれるかもしれないですよ。

宛名の書き方

　小包をあまり正確に狙って送ることはできないかもしれないが、失望しないでほしい。それは、小包が送れないということではない！　表側にどのような宛名書きをするかをまちがえさえしなければいいのだ。だが、米国政府が1960年代に思い知ったように、宇宙小包に何と書けばいいかは難しい問題になりうる。

　アメリカの最初期のスパイ衛星は、フィルムカメラを使っていた。写真を撮影したフィルムは、カプセルに格納して地球に落とされた。万事うまくいったら、落下するカプセルは追跡され、空軍機が長いフックを使って、文字通り空中で回収した。

いかにも失敗しそうだよね、これ。

いつも思惑どおりに行ったわけではなかった。いくつか

のカプセルは、無制御状態で地球に戻ってきた。北極圏の
スバールバル諸島の近くに落下したひとつは、決して発見
されなかった。1964年前半、コロナ偵察衛星は数百枚の
写真を撮影したあと、軌道上で故障して応答しなくなり、
無制御再突入の運命となった。政府の役人たちはハラハラ
しながら見守り、どの地点で大気圏に突入するか予測しよ
うとした。ついに、ベネズエラの近くのどこかに着地しつ
つあることが明らかになった。

　その付近の監視者らに、空を注視せよとの指示があり、
1964年5月26日、ベネズエラ沿岸の上空を破片が猛スピ
ードで飛ぶのが観察された。

　役人たちはカプセルは海に落ちたのだろうと考えたが、
実際にはベネズエラとコロンビアの国境の上に落ちた。発
見した農夫たちはそれを分解し、内部にあった金のディス
クを取りだし[6]、残りは売りに出した。農夫のひとりは、パ
ラシュートのひもを使って自分の馬の装具を作った。買い
手がまったく現れなかったので、カプセルはベネズエラ当
局に引き渡され、そうなってはじめて、ベネズエラ政府は
アメリカに接触したのだった。

　1964年までは、地球に戻ってくるカプセルには、人々
が開封して極秘扱いの内容物に触れたりしないようにと、
厳めしい字体で「アメリカ合衆国」と「機密」と書いたラ
ベルが貼られていた。しかし1964年の事件のあと、アメ

---

　(6)　金のディスクは科学実験の一環だった。しかしその科学実験自体が、
この人工衛星が上空で何をしているのかと問い詰められたときのための偽
装だった。

リカはラベルの書き方を変更した。厳めしい警告の代わりに、カプセルを最寄りの米国大使館または領事館に届けてくれれば報酬を約束するという8ヵ国語のメッセージのスタンプを押すことにしたのだ。

　あなたの小包を見つけた人が、意図した相手に届けてくれる可能性を最大にしたければ、ご褒美で釣るのが最善だろう。

第16章

家に電気を調達するには
（地球で）

　家のなかは、コンセントにつながないと使えない物だらけだ。さて、その電気の調達手段とは、どんなものだろう？

　典型的なアメリカの家庭は、1年を平均すると、1キロワットの電力量を消費している。2018年の電気料金で計算すると、年間で1100ドル（約12万円）になる。あなたの土地から、もっと安く電気を調達できないだろうか？

　典型的なアメリカの家を例に、うまく利用できるかもしれないほかの電力源をいくつか見てみよう。

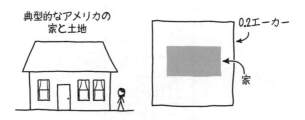

典型的なアメリカの
家と土地

0.2エーカー

家

　アメリカの平均的な新築の一戸建て住宅は、0.2エーカー（約800平方メートル）の敷地に、その25％の面積を占める家屋が建っている。あなたはこのような家に住んでいるとしよう。さて、この小さな土地には、どんな電力源があるだろうか？

　昔から、あなたが土地を所有しているなら、その土地の上にある空気の層も、そしてその下にある土もあなたのものとされてきた。Cuius est solum, eius est usque ad coelum et ad inferos という格言のとおりだ。これはラテン語で、「あなたの所有権は、所有地の上の天国までと、その下の地獄まで、及んでいる」という意味である。

現代では、上側の所有権はさまざまなかたちで制限され
ているようだ——たとえば地域の都市計画法、連邦航空局、
そして宇宙空間に対する所有権の主張を禁じる 1967 年の
宇宙条約などで。下側の所有権にしても、鉱業権が土地と
は別に売買されることが多いので、やはり制限されている
だろう。そのようなわけで、あなたが土地を所有していた
としても、そこに埋まっているすべてを所有しているわけ
ではない。

しかし、仮にあなたが土地の上下両側にまで及ぶ所有権
を持っているとしたら、この３つの領域（土地／地中／
空）のなかに見つけられそうな電力源には、次のようなも
のがある。

その1　土地

植物

植物は土地の上で成長する。成長の勢いがよすぎて、抑えるのに苦労することもある。

植物は、燃料として燃やすことができる。ただしそれは、エネルギーを生み出す方法として必ずしも最もクリーンでもなければ、最も効率的でもない。しかし、敷地で木をたくさん育て、伐採すれば、その木を燃やして安定的な電力供給が確保できるだろう。

できれば、森の大半が、家の日当たりのいい側（北半球では南側）にくるようにしよう。

　森林の生産性は、どう管理するかによるが、全米自然保護地域連合会（NACD）の推計によると、ほぼ放置された状態の3987エーカー（約16平方キロメートル）の松林は1メガワットの電力を連続して供給できるという。だとすると、あなたが庭全体に（家屋が建っている25％は除いて）木を植えたときに生み出せる電力は……

$$\frac{0.2エーカー×75\%×1メガワット}{3987エーカー}=38ワット$$

　……という計算により、38ワットである。これは、電話を充電したり、タブレットまたは小型のラップトップを働かせるには十分だが、家全体に電力を行き渡らせるには程遠い。

　ほかの植物なら、もっと効率がいいかもしれない——たとえばスイッチグラス（イネ科の牧草。糖化して発酵させることでエタノールを生産することができる）は、アメリカ中部の大部分で1エーカー当たり約1キロワットの発電ができ、それ以外の地域ではその2、3倍の発電ができる可能性がある。だが残念ながら、庭だけでなく屋根の上にもスイッチグラスを植えたとしても、あなたの家全体の電力をまかなうことはできない。

水

　水は重力の影響を受けて地表を流れるが、この重力のエネルギーを、水力発電タービンで取り込むことができる。
　アメリカでは、全陸地面積の上に、平均して年に約79センチメートルの雨が降る。また、アメリカ合衆国の全陸

地の平均標高は約 760 メートルだ。もしもアメリカが高さ 760 メートルの完全に平らな台地で、その全域に雨が降り、縁《ふち》から海にこぼれ落ちるとすると……

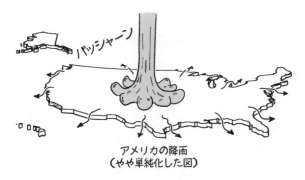

アメリカの降雨
（やや単純化した図）

……総計 1.7 テラワットの電力を生み出すだろう。次の式のとおりだ。

$$\frac{79\text{cm}}{\text{年}}\times\text{アメリカの国土面積}\times\text{水の密度}(1000\tfrac{\text{kg}}{\text{m}^3})\times9.8\tfrac{\text{m}}{\text{s}^2}\times760\text{m}$$
$$=1.7\text{TW}$$

アメリカには約 1 億 2000 万戸の世帯があるので、1 世帯当たり 14 キロワットということだ！

あなたの家には気の毒だが、これは非常に楽観的な見積もりだ。アメリカの雨の大部分は低地に降り、また、雨水のすべてが整備された河川に流れ込むわけではない。エネルギー省の報告書からすると、アメリカで利用できる可能性のある水力発電の総量は——その発電量を実現するには、野生動物保護区や景観の美しい川に新たにダムや発電所を

建設しなければならないはずだが――85 ギガワットと推定される。これは、上で見積もった 1.7 テラワットの 20 分の 1 だ。これだと 1 世帯当たりの電力はたった 700 ワットになってしまう。

その2　地中

埋蔵燃料

　あなたが所有する 0.2 エーカーの土地はアメリカの国土の 120 億分の 1 に当たるので、ここでは仮に、そこに全米の鉱物埋蔵量の 120 億分の 1 が埋まっているとしよう。もちろん実際には、これらの資源は全米各地の限られた産地に集中しているので、あなたの土地に含まれる鉱物量はこれよりはるかに多いか、はるかに少ないかのどちらかだ。しかし、鉱物が均一に分布していると仮定すると、あなたの土地の下には次のようなものがあるはずだ。

- ■ **石油 3 バレル（約 477 リットル、0.477 立方メートル）**。1 バレルの原油は約 6 ギガジュールの電力を供給できるので、3 バレルあれば、約 8 カ月間あなたの家の電力を十分まかなえる。
- ■ **天然ガス 1100 立方メートル**。16 カ月強にわたり、あなたの家の電力をまかなえる。
- ■ **石炭 19 トン**。石炭のエネルギー密度は 1 キログラム当たり約 20 メガジュールなので、19 トンの石炭はあなたの家の電力を 12 年間まかなうことができる。

■ **ウラン 43 グラム**。従来型の原子炉なら、数カ月間
　あなたの家に電力供給ができる。新型の「高速中
　性子炉」なら、10 年以上電力供給ができるだろう。
　高速中性子炉ははるかに効率が高いが、稼働コス
　トもはるかに高く、また、核兵器に利用できるレ
　ベルまでウランを濃縮して使うので、国際規制機
　関は神経を尖らせるだろう。

　すべて合計すると、これらの埋蔵燃料は 20 から 30 年ぶ
んの電力に相当する。
　実際には、あなたの土地はこういった埋蔵燃料をすべて
含んでいるわけではないだろう——おそらくは、まったく
含んでいない。そして、もしも含んでいたとしても、家の
持ち主がひとりで埋蔵資源を掘り起こすのに必要なエネル
ギーは、その資源が生み出す電力を上回るだろう。さらに、
地球の気候への影響を考えれば、人間が地下に埋もれてい
る化石燃料をすべて燃やすわけにはいかない。そんなわけ
で、埋蔵資源には手をつけないほうがむしろいい。

地熱

　地球は、その誕生時に星間物質どうしが衝突して徐々に
凝集し、球形になる過程で生じた熱から、そして地球の奥
深くにあるカリウム、ウラン、トリウムの放射性崩壊によ
って生じた熱から、今なお冷めつづけている。この冷却は、
地球の表面からの熱放射によって進む。この熱は普通、ほ
とんどの場所で非常に弱く、検出するのは難しい。しかし、
この熱が無視できないような場所がいくつか存在する。

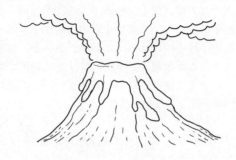

　地質学的に安定した地域の平均的な熱流は、1平方メートル当たり50ミリワット程度と考えられるので、あなたの土地には、理屈のうえでは常に40ワットの電力を生み出せるだけの熱がある。実際に地熱発電を行なうには、地下深くまで井戸を掘り、ポンプで水を下に送り、その水を高温の岩で加熱しなければならない。これにより消費された熱は周囲から補給されるので、あなたは事実上、すべての人の土地の下から熱を引き込んでいることになる。

　現実には、地熱発電が実用になるのは、高温な領域が地表近くに存在する、地質学的活動が活発な地域だけだ。カリフォルニア州北部にある世界最大級の地熱発電所、ガイザースでは、1エーカー当たり77キロワットの電力が生み出されているので、あなたがたまたまそこに住んでいたなら、家庭の電気は簡単にまかなえるだろう。地質学的活動がそれほど活発ではない地域では、地熱発電を行なっても——せいぜい——お湯が少し余分に使えるようになる程度だろう。

テクトニック・プレート

　断層の上の暮らしにはマイナス面もあるが、それをうまく利用する方法があるかもしれない。断層が動いているところの地面はある程度の距離にわたって力を及ぼしているが、力に距離を掛けたものがエネルギーだったことを思い出してほしい（Q1第11章参照）。1年に2、3センチの動きは微々たるものだが、その動きの背後には、事実上無限の量の力が存在するわけだ。その力を利用して電気を生み出せないだろうか？

「ふーむ……」「ノーかな」

　理論的には、イエスなのだ！

　あなたが巨大なピストンをふたつ作り、それぞれのピストンを断層の両側の地殻、つまり、2枚のテクトニック・プレートのそれぞれに固定したとしよう。そして、ふたつのピストンのあいだに水のタンクを設置して、これを圧縮させよう。

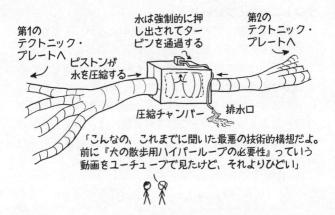

第1の
テクトニック・
プレートへ

水は強制的に押
し出されてター
ビンを通過する

第2の
テクトニック・
プレートへ

ピストンが
水を圧縮する

圧縮チャンバー　　排水口

「こんなの、これまでに聞いた最悪の技術的構想だよ。
前に『犬の散歩用ハイパーループの必要性』っていう
動画をユーチューブで見たけど、それよりひどい」

（訳注：ハイパーループは、アメリカの実業家イーロン・マスクが構想する超高速輸
送システム。減圧したチューブのなかを列車が高速走行するというもの）

　水にかかる圧力は時間の経過とともに増大するので、ター
ビンを回転させるのに使える可能性がある。この装置が
理論的に生み出すことのできる最大の圧力は、ピストンが
耐えられる圧力で決まるだろう。ピストンの材料の最大圧
縮強度が 800 メガパスカル（MPa）で、ピストンの断面が、
幅はあなたの庭の幅に等しく、高さが幅の2倍で、0.4 エー
カー（約 1600 平方メートル）の断面積を持っているとする
と、理論的に生み出せる総電力（総仕事率）は「断層の移
動速度×ピストンの断面積×圧力」で与えられるはずだ。
計算すると、次のようになる。

$$\frac{2.5\text{cm}}{年}\times 1600\text{m}^2\times 800\text{MPa}=1\text{kW}$$

　このシステム全体が、多くの理由からばかげており、ま
た技術的に実現不可能だ——あなたが実際にひとつ作ろう
としたなら、この装置がばかげている理由をご自分で新た
にいくつも見つけることだろう。そうした数ある理由のひ
とつがコストである。

　この装置（要するに、テクトニック・プレートの運動を
利用した発電機）をテクトニック・プレートに固定する
「根っこ」に当たる部分は、プレートのかなり先のほうま
で伸びていなければならない——さもないとプレートが割
れてしまい、新しい断層線が形成されるだろうから。この
「根っこ」は、100 万立方メートル単位の容積になるだろ
う。根っこが鋼鉄製で両側に 5 キロメートルずつ伸びてい
るとすると、総重量は 600 億トンになり、コストは約 400
億ドル（約 43 兆円）になるだろう。

　さて、400 億ドルは相当な金額だが、同時にあなたは年
1100 ドル（12 万円弱）ずつ電力のコストを節約する。この
割合で節約が続けられるとして、400 億ドルの投資を回収
するには……

$$\frac{400 億ドル}{\frac{1100 ドル}{年}} = 3600 万年$$

　……3600 万年かかることになる。

「でも、最初の3600万年以降は、銀行に
お金が貯まる一方だよ！」

「土地が北に移動してるから、そのぶんの
土地を買いつづけなくていいの？」

「おいおい、金儲けするには
金を使わなきゃ」

その3　空

太陽

　アメリカで1区画の土地に降り注ぐ太陽光の電力換算量
は、緯度、雲量、そして季節によって異なるが、平均的に
は1平方メートル当たり約200ワットである。この値は1
年の平均値だ——太陽の高度が最も高いときには1平方メ
ートル当たり1000ワットに到達できるが、雲量、季節、
そして夜は暗いという事実により、平均値は低下する（公
共料金としての電気代の計算では普通、電力量の単位のキ
ロワット時を使っている。この単位では、200ワットは1
日当たり約5キロワット時である）。
　現代のソーラーパネルは太陽のエネルギーの約15%を
電力に変換できるので、あなたが庭をソーラーパネルで覆
ったとすると、24キロワットを獲得できるだろう——必

要な電力をはるかに上回る。

$$0.2エーカー×200\frac{W}{m^2}×15\%=24000W$$

　太陽のほうにパネルを傾ければ、効率を上げることができる。傾け方としては、（1）隣人を犠牲にしてより広い面積を覆う、または（2）同じ量の電力をはるかに小さな設置面積で得る、というふたつの方法が考えられる。

ソーラーパネル設置方法のオプション

単純な設置、
やや非効率的

パネルを傾け、屋根
にも設置することで
効率を改善

賛成論：非常に効率的
反対論：隣人に迷惑で、
あなたも一生暗い暮らし
を送ることになる

　しかし、この効果はそれほど大きくないだろう。一般に、太陽光発電を制限する要因は利用できる面積ではない——パネルのコストだ。2019 年時点で、1 エーカーのソーラー

（1）　単位についての注意：「1.38 キロワット」というのは 1 年当たりの電力ではない——それは、平均的なアメリカ人が消費する電力を時間で平均したものにほかならない。慣習上、電力の消費量はキロワット時（1 キロワットの電力を 1 時間供給するエネルギーの大きさ）で測られるが、それは電力がキロワット時単位で値づけされ、売られているからだ。これは十分妥当なことだが、物理学の観点からは少し妙だ。結局、平均値を表したければ「キロワット」を使うことができるのだから。キロワット時というのはたとえば、道路の幅を「5 メートル」と言う代わりに、「5000㎡/km」と言っているようなものだ。

パネルの値段は200万ドル（約2億2000万円）を超えるだろうし——さらに、太陽が隠れたときのために電力を蓄えたいなら、もっと高額になるだろう。

　私たちがここまで例として使ってきた、土地に設置するソーラーパネルは、2019年のアメリカの電気料金、13セント／キロワット時では、元を取るまでに14年かかる——しかし、さまざまな税制優遇措置があり、余った電力を電力会社に売ることもできるので、初期投資の「回収期間」は大幅に短縮されるかもしれない。日当たりのいい地域で、再生可能エネルギーに対する手厚い税の優遇措置が受けられれば、ソーラーパネルを新規に設置して、ほんの数年で元が取れるかもしれない。

風

　どれだけの風力が手に入るかは、あなたの地域の風の強さと、あなたの土地にどんな高さの風力タービンを立てるかによる。一般に、風速は上空にいくほど増大するので、背の高いタービンを立てれば、それだけ多くの電力が手に入る。アメリカの国立再生可能エネルギー研究所は、さまざまな高さの風力タービンに対し、利用可能な風力が潜在的にどれくらいあるかを全米にわたってマップ化した。利用可能な風力はワット毎平方メートル（W/m^2）の単位で表示されているので（1平方メートル当たりの風力、つまり風力密度と見なすことができる）、タービンの大きさがわかれば、それを通る風によってどれだけの電力が得られるかを計算することができる。

　風の強さがほぼ「標準的」なセントルイスなどの地域では、潜在的風力は地上 50 メートルで約 100W/m² 、100 メートルで 200W/m² 、そして、200 メートルでは 400W/m² くらいだろう。ロッキー山脈のように非常に風が強い地域では、風力密度はこの 4 倍以上になる一方、ジョージア州とアラバマ州の真ん中あたりのように風が弱い地域では、利用可能な風力はその 4 分の 1 程度だろう。

　あなたの 0.2 エーカーの土地が正方形なら、直径 28 メートル——あるいは、優勢な風の向きを考えると対角線に設置したほうがいいなら直径 40 メートル——の風力タービンがちょうど収まる。

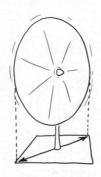

　直径 28 メートルのタービンの面積は 616 平方メートル
である。50 メートルの高さに設置されているとすると、
そこでは潜在的に利用可能な風力の密度が 100W/m² なの
で、利用可能な風力は 62 キロワットとなる。風力タービ
ンの効率は 100％ではない。ベッツの法則（風車によって流
体〔ここでは風〕の運動エネルギーを機械的エネルギーとして取り
出す際の最大効率に関する法則）のおかげで、タービンは通過
する風のエネルギーを 60％以上取り出すことは決してでき
ないのだ。実際には、風の速度の変化や変換時のロスに
よって、取り出すことのできるエネルギーは、利用可能な
風力の平均値の 30％近くにまで低下する。それでも、62
キロワットの 30％は 19 キロワットだ——あなたの家のほ
かに、近隣の 18 軒の家の電力をまかなうのに十分である。
　ご近所に好意を示しておくのは、あとあとのためになる
かもしれない。というのも、地上 50 メートルの高さで回
転する直径 28 メートルの風力タービンは、近隣にいろい

ろな問題を生じる恐れがあるからだ。羽根の最下部は地上
36 メートルになるので、特に高い木がないことが望まし
い。さらに、近所の子どもたちに凧揚げをして遊ばないよ
うに言い聞かせなければならないだろう。

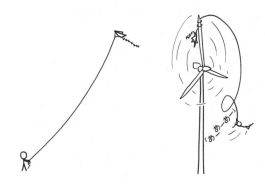

最後に　空間そのもの

　いくつかの理論的な宇宙モデルは、空間を作り上げてい
る量子場が、「偽の真空」と呼ばれる状態で存在している
と示唆する。ビッグバンのあと、宇宙は高エネルギーのカ
オス的な量子の泡から、現在のかたちへと落ち着いていっ
た。だがこれらのモデルでは、落ち着いたはずのこの状態
は、ほんとうに落ち着いているわけではない──時空その
ものに、ある量の張力が含まれており、ある種の乱れが生
じるとこの張力が解放されて、張力がまったく含まれない

（2）　もしもそんな木があったら、それは早晩なくなってしまうだろう。

完全に安定した状態、「真の真空」に落ち着くのだという（これを「真空崩壊」と呼び、このとき真の安定状態との差に当たる大量のエネルギーが解放されるという）。

　これらのモデルでは、偽の真空には、空間のあらゆる箇所に膨大な量の潜在的エネルギーが含まれている。あなたの庭には、すぐに手が届く空間がふんだんにある——あなたは真空崩壊を引き起こし、大量のエネルギーを解放させ、家の電力問題を完全に解決することができるだろうか？

　この疑問に答えるため私は、宇宙物理学者で「宇宙の終わり」についての専門家、ケイティー・マック博士に問い合わせてみた。「誰かが自宅の庭で真空崩壊を引き起こしたとすると、どれぐらいの量のエネルギーが解放されるのでしょうか、そして、そのエネルギーはその人の家の電力をまかなうために利用できるでしょうか」と、私はマック博士に質問した。博士の答は、「どうか、そんなことはしないでください」だった。

「あなたが局所的に真空を崩壊させたとしたら、理論的には、それによってヒッグス場のエネルギーが、おそらく超高エネルギーの放射として解放されるでしょう」と彼女は言う。「しかし、そのエネルギーのほかに真の真空の泡がひとつ形成され、それは光速で膨張して、一切のエネルギーを利用不可能にし、ついにはあなたを飲み込んでしまうでしょう。この真の真空は、あなたを焼き尽くしたあと、あなたを作っている素粒子をすべて破壊し、さらに全宇宙を飲み込み、即座にそれを崩壊させることでしょう」

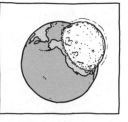

　私たちにとっては幸いなことに、宇宙が崩壊せずこれほ
ど長く存在してきたという事実にかんがみれば、たとえ
「偽の真空」の理論が正しかったとしても、今すぐに真空
崩壊が起こる可能性は特に高くはなさそうだ。
「現在の私たちの素粒子物理学についての理解が正しけれ
ば、真空崩壊はほぼ不可避なのですが、それが今後数兆年
以内に起こる可能性は天文学的にほとんどないでしょう。
エネルギーを得るには、もっといい、もっと効率的な方法
がいくつもあります」とマック博士は言い添える。「たと
えば、小さなブラックホールを作り、そこからホーキング
放射として放出されるエネルギーを利用してはどうでしょ
う？　キャンプファイヤーみたいなものですよ。質量に応
じて、安定したそこそこの熱が数年にわたって放出されま
すよ、最後の崩壊で華々しく爆発するまでは！」
　たしかにこのほうが、ずっと実際的だ。

第17章

家に電気を
調達するには
（火星で）

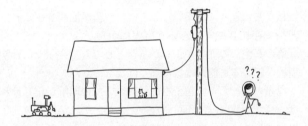

　火星で電力を手に入れるのは、地球でよりも難しい。

　ひとつには、火星には送電網がないという、明らかな理由がある。しかし、たとえ火星に送電網を設置しても、私たちが地球で電力を得るために普通使っている電力源は、火星ではそれほどうまく利用できないのである。

電力の種類	火星で使えますか？	理　由
風力	難しい	空気が薄すぎる
太陽光	地球ほどうまくいかない	太陽がより遠くにある
化石燃料	ノー	化石が存在しない
地熱	地球ほどうまくいかない	地質学的活動があまりない
水力	ノー	川がない
原子力	燃料を自分で持ち込まない限り無理	ウランを濃縮するには特定の地質学的プロセスが必要
核融合	ノー	地球でも成功していない

　だが、火星にはひとつ、なんとも風変わりな、潜在的電力源が存在する。ただしそれを得るには、火星の衛星をひとつ破壊する覚悟がなければならない。

フォボス

前々から、星をぶっ壊してみたいって思ってたんだ

　火星の衛星、「フォボス」を破壊することにそれほど罪悪感を抱く必要はない——フォボスはすでに、破滅を運命

づけられているのだから。

　地球の衛星である月の公転速度は地球が自転する速度より遅く、そのため地球と月のあいだの潮汐力は、地球を減速し、月を加速するように働く。潮汐力で月の速度が上昇するため、月は次第に遠くへと、いわば投げ出される。[（1）]ところが火星では状況が異なる。フォボスの公転速度は火星の自転速度よりも速く、そのため、潮汐力はフォボスを火星へと引き戻すので、フォボスは徐々に火星に近い軌道を周回するようになる。フォボスは、火星にじわじわと近づいているのだ。

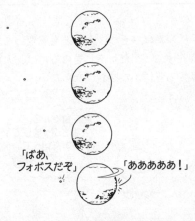

「ばあ、
フォボスだぞ」　　　「あああああ！」

（訳注：フォボスはギリシア神話の恐怖の神にちなんで命名された）

　（1）　これについて詳しく知りたいかたは、第27章「約束の時間を守るには」を参照ください。

　フォボスはほかの衛星に比べてそれほど重くはない——地球の月はフォボスの700万倍も重い——が、人間の基準からすると、それでも相当大きい。

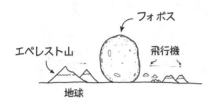

　フォボスの質量と速度を考えると、火星を周回するフォボスは膨大な量の運動エネルギーを持っている。これこそ、あなたが潜在的に利用し得るエネルギーである。

フォボスにテザーをつける

　フォボスにテザー（宇宙空間で大きく重いものをつなぎとめるための丈夫なケーブル）をつけることは、これまでにも提案されたことがある。そういう案は普通、フォボスの位置と軌道エネルギーを使って、火星の表面とのあいだで大量の貨物を効率的に行き来させるのが目的だ。その場合、火星の表面を離れていく貨物を保持するために、テザーの一端を空のフック、すなわち「スカイフック」として使う。

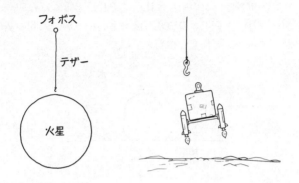

フォボス

テザー

火星

　だが、テザーを使って、フォボスから直接エネルギーを取り込むこともできるだろう。長さ5820キロメートルのテザーを、フォボスの火星を向いている面に取りつけると、テザーの端は火星の大気のなかにぶら下がるだろう。ぶら下がった端は、火星の大気のなかを秒速530メートルで動いているはずだ。地球ではその速度は音速の1.5倍だが、火星の大気はほとんど二酸化炭素でできているので、火星では音はもっとゆっくり伝わり、秒速530メートルは火星の音速の2.3倍に当たる。(2)

風力タービン

　火星の表面に風力タービンを設置しても、あまり役に立たない。なぜなら、空気は極めて薄いし動きも遅いので、タービンの羽根を回転させることさえ難しいだろうから。

(2)　火星では音の速度が低いので、しゃべると非常に低い声になる。

しかし、テザーの端ではマッハ 2.3 の速度で風が通り過ぎ
るだろう——こうなると、話はいいほうに違ってくる。テ
ザーを通り過ぎる空気は、1 平方メートル当たり約 150 キ
ロワットのエネルギーを持っている。そこに直径 20 メー
トルのタービンを持ってくれば、潜在的に 50 メガワット
のエネルギーを生み出すことができる。これは町全体の電
力をまかなうのに十分だ。

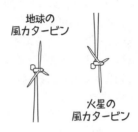

風力タービンは普通、超音速で働くようには設計されて
いない。それは、超音速の風が、隕石の落下、火山の噴火、
そして核爆発の衝撃波以外、地球ではめったに吹かないか
らだ。しかし、超音速航空機やロケットで使うために設計
されたタービンが実際に存在する。これらのタービンは機
体を通過する気流を利用して発電し、万一エンジンが故障
したときに航空機やロケットのシステムに電気を供給する
ように設計されている。超音速タービンは流線形で、ずん
ぐりした短い羽根がついている。あなたが火星に設置する
タービンは、一般的な風力タービンよりもむしろ、こうい
ったものに似た姿をしているだろう。

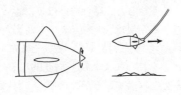

　あなたのタービンはフォボスによって火星の大気のなか
を引きずられるが、それで運動量が奪われるフォボスは、
徐々に内側の軌道へと下がってくるだろう。あなたがター
ビンの数を増やせば、それだけ多くの電力が生み出され、
フォボスの降下は速まるだろう。注意していただきたいの
は、フォボスが火星表面に近づくにつれ、テザーを短くし
て、フォボスが火星の地面に衝突するのを防がなければな
らないことだ。幸い、短いテザーは長いテザーのように自
らの重さを支えるために太くする必要はないので、時が経
過するにつれて、同じ量のテザー材料によって、より多く
のタービンを支えることができるようになるだろう。

　フォボスを火星の大気の最上部まで下ろすことで得られ
る総エネルギーは、

$$G×火星の質量×フォボスの質量×\frac{1}{2}×$$

$$\left(\frac{1}{火星の半径+100km}-\frac{1}{9376km}\right) ≒4×10^{22} J$$

（「重力相互作用する多体系〔ここでは火星とフォボス〕の、長時間
平均した運動エネルギーは、長時間平均した重力ポテンシャルエネ
ルギーの絶対値の半分に等しい」という、ビリアル定理を使って計算）

　1 人当たりのアメリカ人が使う電力は平均 1.38 キロワットなので、フォボスの軌道には、アメリカと同じ規模の人口が必要とする電力をほぼ 3000 年にわたって供給できるエネルギーが含まれていることになる。近所に大勢の人が引っ越してきたとしても、みんなに十分いきわたるだけのフォボス電力がある。

　テザーを使う宇宙プロジェクトには大量の材料が必要だが、このテザーつきタービンも例外ではない。フォボスから火星まで届く小規模なテザーでさえ数千トンの重さになり、タービンを大型化し、かつその数を増やすにつれて、さらに重くなる。テザーつきタービンが生み出す電力の量は、テザーがタービンに及ぼす力の大きさに比例するので、タービンの発電能力が 1 ワット増加するごとにテザーにかかる負担も大きくなって、それを支えるためにテザーもますます重く、大きくならなければならない。逆に、テザーに新たに材料が 1 キログラム加えられるたびに、その追加分がまた一定の量の電力を「生み出している」のだと考えることもできる。

　テザーの重さとその効率は、あなたが選ぶ材料と、さまざまな技術的詳細によって異なるだろうが、全体としてテザーの供給電力はせいぜい、テザー 1 キログラム当たり 2 ワットぐらいだろう。数十年のあいだ、テザーはこれだけのエネルギーを際限なく生み出すことが可能なので、この「1 キログラム当たり 2 ワット」というペースで数十年間発電しつづけて、テザーつきタービンが産出できる総エネルギーは、電池、石油、石炭などの一般的な燃料よりもはるかに大きい。(3)

　風力タービンが、火星上でどの程度非効率的になるかを予測するのは難しい。気流には事実上制約がないので、タービンを通過する空気のパワーをすべて電気にすることにこだわる必要はなく、それよりもテザーにかかる抗力による「ムダ」を抑える努力が必要だ。タービンの種類を変えると、より効率的で信頼性が高くなることもあるだろう——ダリウス型タービン（一般的なプロペラ型のタービンが水平軸を回転軸としているのに対し、垂直軸を回転軸とし、揚力を利用して発電する。低コストで、風向を選ばずに発電できる）、抗力を利用するサボニウス型タービン（垂直軸型だが抗力を利用して発電。起動性がよく、弱い風でも発電でき、音が静かだが、地球上ではプロペラ型よりも低効率）、あるいはマグナス効果を利用したタービン（次の絵にあるように、複数の回転する長いシリンダーと風との相互作用でマグナス効果と呼ばれる揚力が発生し、それにより、この絵の例では中央部の横翼を回転させて発電するもの。マグナス効果は、野球などの変化球が生まれる原因とされている）などで実験してみるといいだろう。これらのタービンはすべて、地球ではそれぞれに適した用途に利用されている。

　（3）　だがこれは、プルトニウムにははるかに及ばない。プルトニウムは何十年にもわたって、1キログラム当たり数百ワットの電力を生み出すことができる。だが、プルトニウムを大量に入手するのは難しい。あなたが火星で隣人になるかもしれない火星探査ローバー、キュリオシティは、NASAが多額の費用で入手した、5キログラムのプルトニウムを電力源としている。

風力タービンの種類

プロペラ型　ダリウス型　サボニウス型　マグナス効果を
　　　　　　　　　　　　　　　　　　　利用したもの

　タービンの効率性の問題のほかに、タービンで生み出した電力を、火星の地面にあるあなたの家までどうやって届けるかも考えなければならないだろう。そこには必然的に、さらなるロスが生じる。電力の輸送には、マイクロ波に変換して伝送する方法（マイクロ波電力伝送技術）から、大量の充電式電池を火星の地面に落とす方法まで、さまざまなものがあるだろう。

フォボス　　　　　　　火星

　衛星の軌道が主星に近づきすぎると、潮汐応力が強くなりすぎて、衛星の表面の物質が引きはがされはじめる。この現象が起こる距離は、ロシュ限界と呼ばれている。火星に近づくにつれ、フォボスはばらばらに崩壊して、瓦礫の環となってしまうだろう。こんなことになるのを防ぐには、

何らかの高強度ネットでフォボスを包んで一体に保つか、あるいはあえて小さな数個の衛星に分裂させたあと、小型化して扱いやすくなったこれらの衛星をネットに包む、などの対策が必要だろう。

このような軌道タービンには、特に奇妙な性質がある。長く使えば使うほど、より多くの電力を生むようになるのだ。つまりこういうことだ。あなたのテザーはフォボスに引力を及ぼし、その結果フォボスの高度が下がる……。しかし、降下すると同時にフォボスはスピードを上げる。なぜなら、低い軌道ほど高速で周回することになるからだ。フォボスの速度が上がれば、そこに固定されているテザーも高速になり、したがって気流も速くなって、タービンが生み出す電力が増加する。テザーはフォボスの生涯にわたり、徐々により多くの電力を生じるようになるだろう。

フォボスが火星に着地するとき

ついに、火星の引力がフォボスから 4×10^{22} ジュールのエネルギーを引き出してしまったなら——おそらく3000年先、あるいは、あなたの家庭がどれだけ電気を使うかや、他の入植者たちがどの程度軌道タービン発電を利用しているかによってはほんの数年で——、フォボスは火星の大気に到達するだろう。

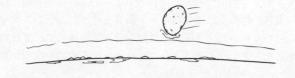

　フォボスの大きさは、白亜紀末期に地球に衝突し、恐竜の大半を絶滅させた隕石と同じくらいだ。フォボスが火星に衝突するときに、まだ一体に保たれていようが、数個に分裂していようが、同様に破壊的なことが起こるだろう。テザーは数千年にわたってフォボスの重力ポテンシャルエネルギーを消費し、総計 4×10^{22} ジュールの電力を火星に供給してきたのと同時に、フォボスを降下させ、加速させてきた。したがってフォボスが火星の表面に衝突するとき、これと同等のエネルギーが火星に与えられるだろうが、このときは一度に全エネルギーが放出されるはずだ。

　フォボスの衝突によって、火星の表面にぐるりと巻きつくような長い傷跡が残り、また大量の破片が宇宙空間にまき散らされ、その大部分が溶けた岩となって、火星の表面のいたるところに雨のように降り注ぐだろう。往々にして「無料」のエネルギー源は、最終的には恐ろしい長期的な損失をもたらす。

　だが、この世界の終わりのような結末も、悪いことばかりではないはずだ。溶岩雨が止むまでの束の間、火星の最も深い谷のいくつかでは温度が十分に上昇して、液体状の水が安定した水たまりとなって現れるだろう。

　あなたの家がこのような谷のひとつにあったなら、Q1
第2章「プールパーティを開くには」をお読みいただきた
い。

第18章

友だちを
つくるには

歩きはじめさえすれば、いつかあなたは誰かにぶつかる
だろう。

「友だちゃーい！
　友だちはどこだ？」

これにはしばらく時間がかかるだろう。運がよくて、歩
きだしてすぐに大勢の人に出くわすかもしれないが、人が
あまり住んでいないところなら、何週間もかかるかもしれ
ない。ある数の人間が存在しているある地域のなかを、ラ
ンダムな位置から始めて歩き回る場合、誰かに出くわすま
でにかかる時間は、「平均自由行程」という物理学の概念
を使って計算することができる。

ランダムな衝突の模式図

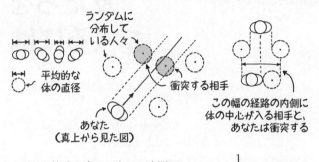

ランダムに
分布して
いる人々

平均的な
体の直径

衝突する相手

あなた
（真上から見た図）

この幅の経路の内側に
体の中心が入る相手と、
あなたは衝突する

$$1 \text{回の衝突が起こるまでの時間} = \frac{1}{1 \text{時間当たりの衝突回数}}$$

$$= \frac{1}{(\text{肩幅}+\text{平均胴体直径}) \times \text{速度} \times \text{その地域の人口密度}}$$

（訳注：分母は、「（肩幅＋平均胴体直径）の長さの線分が単位時間内に掃く面積に人間が何人いるか」）

　明らかに、出会いが起こりやすい地域とそうでない地域がある。いくつかの地域についての平均衝突間隔を次に示しておこう。

■　カナダ：2.5日
■　フランス：2時間
■　デリー：75秒
■　パリ：40秒
■　チケット完売の試合が行なわれている、アトランタのメルセデス・ベンツ・スタジアム：0.6秒

■　その試合中の競技フィールド：3分

　物理的に人々にぶつかりたければ、満員のフットボール・スタジアムのほうがカナダの北方林よりもチャンスは多いだろう。そして、もしもスタジアムで試してみるなら、フィールドより観客席のほうが衝突は頻繁に起こるだろう——フィールド上の衝突のほうがより激しいだろうが。

「友だちだ!!」

　だがたいていの場合、ランダムな出会いは友情には発展しない。それはそれでいい。「町をうろついている人は、日々の習慣を打ち破らなければならない。彼らは自分の世界に閉じこもりすぎている」と、文句を言う人がときどきいる。しかし、人にはそれぞれの生き方がある。あなたが人との結びつきを求めているからといって、そのときほかの人たちもそうだとは限らない。

　では、人と結びつくのがそれほど難しいなら、みんないったいどうやって友だちを作っているのだろう？

　人々がどこで友だちと出会うかについては、各種の調査を見れば、ある程度知ることができる。1990年にアメリカ人に対して行なわれたギャラップ社の調査には、友だちと最も多く出会う場所はどこかという質問が含まれていた。最も多かった回答は、職場だった。続いて学校、教会、近

所、クラブや組織、そして「ほかの友だちを通して」という答が挙がった。

《ソシオロジカル・パースペクティブ》誌に発表されたルーベン・J・トーマス博士によるより総合的な調査では、最も親しい友だちにどうやって出会ったかに関する情報を集めるために、1000人のアメリカ人に質問を行なった。この研究では彼らの回答を使って、年齢ごとに友情がいかにして形成されるかを分析した。

　比較的一貫して、生涯にわたり友情の 源 になっているものもあった——あらゆる年齢層で、人々は新しい友だちの約20％を家族や共通の友だちを通して、また宗教組織、あるいは公共の場での集まりで作っていた。ほかの源は、年齢によってどの程度機能するかが変化した——最初は学校が主で、やがて職場が主要な源となっていた。そして退職の年齢に近づくにつれ、近所やボランティア組織で友だちを作るケースが増えてくる。

年齢別に見た、人々が友だちと出会う場所

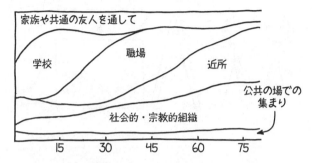

出典: THOMAS, REUBEN J. 2019. "SOURCES OF FRIENDSHIP AND STRUCTURALLY INDUCED HOMOPHILY ACROSS THE LIFE COURSE." *SOCIOLOGICAL PERSPECTIVES*. DOI: 10.1177/0731121419828399

　少なくともこれらの調査は、人々はどこで友だちを作るのかという疑問に答える助けにはなる。こうした場所は、新しい友だちを作る可能性を最大にするために行くべきところとは限らないが、多くの友情が始まる場所ではある。

　では、誰かと実際に出会ったとして、その相手を知り合いから友だちに変えるには、どうすればいいだろう？

「さあ、次はホッパーに入ろうよ」

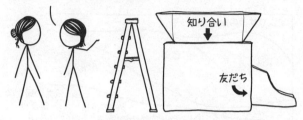

（訳注：ホッパーはセメント、砂利、砂、あるいは穀物などを一時貯蔵するもので、下に吐き出し口がついている）

　ここで残念な真実を。誰かをあなたの友だちにする、魔法の杖や秘訣など存在しない。もしもあったとしたら、相手が誰であろうと、あるいは相手がどのように感じていようが、その手段を使えばいいことになる。だが、相手が誰なのかや相手の気持ちを無視するなら、あなたはその人の友だちではない。

　イマヌエル・カントは、彼の倫理観の中心に位置する、「定言的命令」というルールを作った。彼はこのルールをいくつかの異なる定式化によって表現しているが、第2定式の中ではこう述べられている。「人間性を、決して単なる目的のための手段としてではなく、常に同時に、目的としても扱うようなやり方で行為せよ」

　イギリスのファンタジー／SF作家、テリー・プラチェットの小説『喉を狙え』（未訳）で、登場人物のウェザーワックスばあさんはこの指針をもっと簡潔に述べた。ある

若者がばあさんに、罪の本質は複雑だと言おうとした。彼女は、いいや、それはとても単純だと応じた。そして、「罪っていうのは、人を物として扱うことだよ」と言った。

　定言的命令という指針をあなたが受け入れるかどうかは別として、それは実際的なアドバイスとして役に立つ。というのも、自分が物として扱われているとき、それに気づくことができるからだ。私たちにどんな欠点があろうと、人類は他人の意図を見極めることに関して、何千年もの経験を持っている。このスキルは、私たちが感情を言葉で表す能力よりもはるかに古く、深い。私たちは近視眼的になったり、混乱したりして多くの間違いをおかすが、ひとから軽蔑されたり見下されたりしていることは、すぐにわかる。

　そのようなわけで、人々に出会うことは難しくないかもしれないが、その人たちと友だちになるための決まった手順などは存在しない——なぜなら、友情とは、相手の感情を大事にすることだからだ。そして、あなたがどれだけ調べたり考えたりしようが、相手がどう感じているかをあなたが自分で判断できる方法はないのだ。相手に訊いてみて……

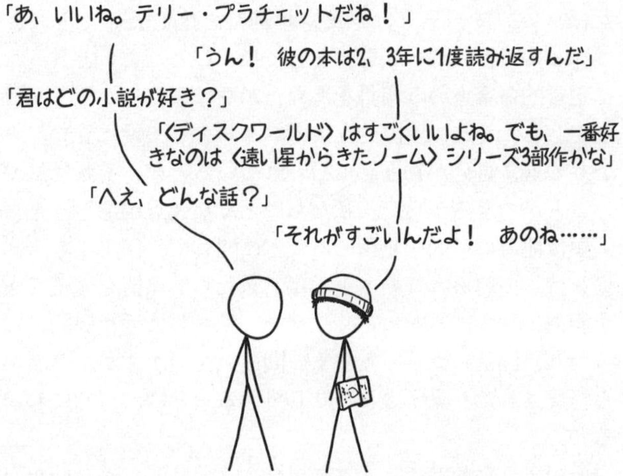

「あ、いいね。テリー・プラチェットだね！」

「うん！　彼の本は2、3年に1度読み返すんだ」

「君はどの小説が好き？」

「〈ディスクワールド〉はすごくいいよね。でも、一番好きなのは〈遠い星からきたノーム〉シリーズ3部作かな」

「へえ、どんな話？」

「それがすごいんだよ！　あのね……」

……その人の言うことに耳を傾けるしかない。

バースデーケーキの
ロウソクを
吹き消すには

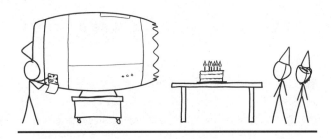

犬を散歩
させるには

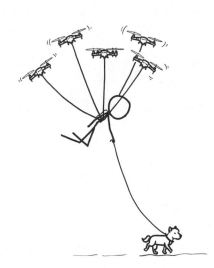

キャーーー!

第19章

ファイルを
送るには

　大きなデータファイルを送るのは、場合によっては難しい。

　現代のソフトウェア・システムは、「ファイル」という概念をあまり使わなくなっている。今のソフトウェアは、画像ファイルが詰まったフォルダーを表示しない。代わりに一群の写真を表示する。だが、ファイルはなおも存在し、おそらくこの先数十年は存続するだろう。そして、ファイルがある限り、私たちはそれを人々に送らなければならないだろう。

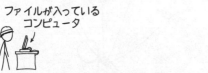

ファイルが入っている
コンピュータ

ファイルを
送りたい相手

　ファイルを送る最も単純で、最もわかりやすい方法は、そのファイルが貯蔵されているデバイスを手に取り、意図した受け手のところに歩いていき、手渡すことだ。

コンピュータを運ぶのが難しいことがある——特に、丸々1部屋の大きさだった初期のコンピュータの場合はそうだ。だったらコンピュータ全体を運ぶのではなく、コンピュータのなかの、そのファイルが収納されている部分だけを取り外せばいいだろう。そうすればその部分を相手のところまで運び、その人に、自分のデバイスのなかにファイルを移してもらえばいい。デスクトップ型のコンピュータなら、ファイルはハードドライブのなかに貯蔵できるが、ハードドライブはコンピュータを破壊することなく取り外せることが多い。

しかし、一部のデバイスではファイルの貯蔵部が本体と永続的に結びついていて、取り外すのはかなり難しくなる。

ファイルは普通、この部分の内部にある

もっと便利で、それほど乱暴でない解決策は、取り外し可能な記憶装置（リムーバブル・ストレージ）を使うことだ。あなたはファイルのコピーを作り、それをデバイスに入れて、そのデバイスを相手に渡せばいい。

「はい、ファイルです」

「わあ、ありがとう！
ぼく、ファイル
大好きなんだ！」

　ストレージ・デバイスを人間が持ち歩くのは、情報伝達
の方法として驚くほど伝送速度が高い。スーツケースいっ
ぱいのマイクロSDカードは、何ペタバイト（ペタバイトは
10^{15} バイト〔情報分野では2進法を使うので正確には 2^{50} バイト〕）
ものデータを含んでいる。ものすごく大量のデータを送り
たいなら、ディスクドライブを詰め込んだ箱をいくつも郵
送するという方法のほうがほとんど常に、インターネット
で送るよりも速いのである。[1]

　データを送りたい場所が、歩いていくには遠すぎ、また
郵便も届きにくいようなところにあるなら——たとえば近
くの山の頂上など——、何らかの自律車両を使ってみると
いい。たとえば配送用ドローンは、数テラバイトのデータ
が保存されたSDカードが詰まった小型の郵便配達人用肩
掛けかばんなら、軽々と運搬できるだろう。

（1）　この話の詳細については、『ホワット・イフ？　Q2』の「フェデ
ックスのデータ伝送速度」を参照のこと。

　クワッドコプター型のドローンは、電池の制約により、長距離ではあまり使えない。ドローンが自分用の電池を搭載しなければならないとすると、それに制約されるので、宙に浮かんでいられる時間はあまり長くはない。もっと長く宙に浮かんでほしければ、もっと大きな電池を搭載しなければならないが、すると重量が増し、電力消費が加速する。ジェットエンジンで支えられた家屋が 2、3 時間しか宙に浮いていられないのと同じ理由で[(2)]、手に載るくらいの小型ドローンは分で測られるほどの飛行時間しかなく、また写真撮影に利用されるもう少し大きなドローンでも、空中に滞在できる時間は、普通 1 時間以内だ。たとえ非常に速く飛ぶとしても、マイクロ SD カードを 1 枚運んでいる小さなドローンは、10 キロメートルも飛ばないうちに電池を使いつくしてしまうだろう。

---

(2)　Q 1 第 7 章「引っ越すには」を参照。

　飛行距離を伸ばすにはドローンを大きくし、太陽光パネルを取りつけ、より高く、より速く飛ばすことだ。あるいは真の高効率長距離飛行の達人に教えてもらうこともできる。

　その達人とは、蝶である。

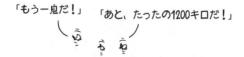

　オオカバマダラという蝶は、北米大陸を集団移動する際に数千キロメートルを旅する。ひとつの季節のあいだに、カナダからはるばるメキシコまで飛ぶ集団もある。春か秋、アメリカの東海岸で空を見上げると、オオカバマダラの群れが地上数十メートルから100メートル近くの上空を、静かに滑空しているのが見えることがある。彼らの驚異的な飛行距離を前に、ドローンは——そして多くの大型航空機も——面目を失う。

　蝶は途中で止まって花蜜を吸い、「充電」できるぶん、電池式の飛行機に比べて有利なのだから、不公平だと思われるかもしれない。蝶は可能なときは確かに燃料補給するだろうが、じつは蝶には、必ずしもその必要はないのである。別の種類の蝶、ヒメアカタテハ（*Vanessa cardui*）は、オオカバマダラよりもいっそうすごい。彼らはヨーロッパからアフリカ中部まで飛ぶのだが、それは地中海とサハラ砂漠を越える4000キロメートルの旅だ。

蝶は体に蓄えたわずかな量の脂質だけを燃料にして、こ
れらの大移動を行なう。蝶がドローンよりはるかに効率的
に飛べる理由のひとつは、彼らが上空まで昇ることにある
——彼らは温かい空気が柱状に上昇しているところや山岳
波（山脈を強い風が越える際に生じる波）を見つけ出して、翅
を固定し、コンドル、タカ、ワシのように、上昇気流に乗
る。

　あなたが蝶の集団移動の経路沿いに住んでいる人にファ
イルを送りたいとすると、蝶をつかまえてファイルを運ん
でもらうことはできるだろうか？

　蝶は荷重を運ぶことができる。〈モナーク・ウォッチ〉
（オオカバマダラの生態、特に秋の集団移動を追跡する市民や科学
者のボランティア組織。名称はオオカバマダラが英語でモナーク・
バタフライと呼ばれることによる）などのグループで活動する
ボランティアたちは、毎年数万から数十万匹のオオカバマ

ダラにタグをつけて彼らの集団移動を追跡し、またその個体数を調べている（個体数はここ数十年にわたり減少しつづけている）。小型のタグは約 1 ミリグラムだが、オオカバマダラは 10 ミリグラム以上の重さがある大型のタグをつけられても、集団移動を完了している。

　マイクロ SD カードは数百ミリグラム——蝶 1 匹と同じくらい——の重さがあるので、それを運ぶとしたら蝶はたいへんだ。だが、ストレージ・デバイスを小型化できないという理由はない。マイクロ SD カードにはメモリー・チップが内蔵されており、これらのチップの記録密度は最高で 1 平方ミリ当たり 1 ギガバイト程度になるだろう。この大きさとデータサイズから考えると、1 ギガバイトのデータが記録された微小チップなら、蝶は易々と運ぶことができそうだ。あなたのファイルがそれよりも大きければ、それを何匹かの蝶に分けて運ばせ、さらに情報伝達安定化のための冗長性を確保するために、複数のコピーを送ればいい。

　あなたのデータが最終的に目的地に着いたなら、受け手はたくさんの蝶をチェックし、ファイルのすべての断片をつなぎ合わせなければならないだろう。多くの蝶を一度にスキャンできるような、非接触蝶スキャナーを開発する必要があるかもしれない。

　DNA をストレージとして利用すれば、この問題を回避し、伝達速度を劇的に向上できる可能性もある。研究者たちはデータを暗号化して DNA 試料のなかに埋め込み、その後 DNA の配列を解読してデータを再現することにすでに成功している。このようなシステムは、チップを使って

可能なあらゆる方法を超えた情報密度を達成できるだろう。この方法なら、1グラムのDNAを使って数百ペタバイトのデータを記録し、その後回収することができる。

　毎年、数億匹のオオカバマダラがメキシコに渡り、山岳地帯に巨大なコロニーを作って集団で越冬する。これらの蝶の数千匹に、5ミリグラムのDNAストレージが入った小さな袋をひとつずつつければ、この蝶の大群の総容量は約10ゼタバイト（1ゼタバイトは10^{21}バイト、正確には2^{70}バイト）── 100000000000000000000000バイト──になるだろう。これは、2010年代後半に存在したデジタル・データの総量にほぼ匹敵する。

　日差しが暖かく、風向きが好都合で、季節的にもタイミングがよければ、あなたは蝶の群れを使って、誰かにインターネットをまるごと送ることができるだろう。

（訳注：bug という英語には「虫」という意味もあるが、普通蝶を bug とは言わないようだ）

第 20 章

スマートフォンを
充電するには
(コンセントが見つからないときに)

　あなたのスマホを充電する最も簡単な方法は、コンセントにつなぐことだ。残念ながら、コンセントは必要なときにすぐに見つかるとは限らない。

　コンセントをひとつ見つけても、そこにはすでに何か別のもの——たとえば他の人の電話や、放置されている何かの装置など——が差し込まれていることがある。あなたが小さなポータブル電源タップを持ち歩いているなら、すでにささっているコードをいったん抜いて、電源タップに改めて差し込み、そして電源タップの空いている差込口のひとつに、あなた自身のスマホをつなげばいいだろう。ただし、こうするときには注意が必要だ。

コンセントがまったく見つからなければ、あなたはもう少し困難な対応を迫られる。親切な壁から電気をもらう代わりに、何か別の方法で環境から電気を取り込まなければならないだろう。

人間は、さまざまな自然のプロセスからエネルギーを取り出す。私たちは物を燃やして熱を得たり、太陽光からエネルギーを集めたり、地熱を利用したり、タービンの羽根を回転させて、風や水の運動を利用する。(1)

理屈のうえでは、これらの技術はすべて屋内でも使える

はずだが、戸外よりも少し難しくなる。たしかに光、熱、流水、そして可燃物を空港内で見つけることはできるが、普通は戸外よりもはるかに少ない量しかない。その理由のひとつは、人工的な環境のなかでは、すべてが誰かが設置したものだからだ。物理学では、・・・・・エネルギーと仕事は同じである。人間が作った何らかの装置が、時間をかけて収集する価値があるほど大量のエネルギーを環境に吐き出しているとしたら、その装置を稼働させつづけている人は、膨大な量の仕事を無料で行なっていることになる。

　普通の人間とは違い、惑星や恒星は何の問題もなく無料の仕事をしている[(2)]。太陽は何もないところも含めて太陽系全体に光を注ぎ、休むことなく今後も何十億年にもわたってそうしつづけるだろう——あなたは太陽光パネルを設置し、ごく微量の太陽光をとらえればいいだけだ。だが屋内ではこのように取り込めるエネルギーが少ししかなく、したがって、そうするのははるかに難しい。だが、それでも不可能ではない。空港やショッピングモールの内部でエネルギーを手に入れる方法をいくつかご紹介しよう。

水

　空港に実際の川はないだろうが、多くの場合、流水は存在する。水は水道の蛇口や給水機の口から流れ出ているの

（1）　戸外のエネルギー源を利用することについての詳細は、第16章「家に電気を調達するには（地球で）」を参照のこと。
（2）　ただし、木星が課金方式の導入を考えているといううわさがある。

で、あなたが水力発電用のダムと同じような方法で、この水を使って発電できないという理由はない。

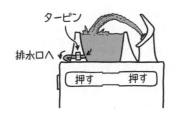

タービン

排水口へ

押す　　押す

　超小型水力発電ダムを一式作る必要はない⁽³⁾。空港ビルの水道系統では、貯水タンクに貯めた水をパイプに流して使えるようにしてくれているので、ここまでのステップはすべて省略し、水道の蛇口や給水機の口に直接タービンを設置すればいい。実際、このような小型タービンを製造する企業がいくつも存在する。こうしたタービンは、パイプに取りつけられた小型の装置を駆動するため、あるいは水圧安全弁があった位置に取りつけて水から利用可能なエネルギーを取り出すために、さまざまなところで利用されているのだ。水道は引かれているが電気はない建物が多かった19世紀後半から20世紀前半にかけて、このような小型発電機——「水力発動機」とか「水力発電用ダイナモ」などと呼ばれた——が、束の間の人気を博した。
　1本のパイプから得られる電力は、驚くほど大きな量に

──────────

（3）　だが、あなたがほんとうに作りたいなら、ぜひ頑張って作ってほしい。

なる。流れる水は多くのエネルギーを持っており、タービンの効率もかなり高い——小型のタービンでも水のエネルギーの80％を電気に変換でき、大型のタービンになると、これよりもさらに高効率が達成できる。水圧2キログラム毎平方センチメートル（約2ヘクトパスカル）で流速約15リットル毎分の水流は40ワットを超える電力を生み出せるが、これだけの電力があれば、LED電球を数個点灯する、数十台のスマートフォンに充電する、あるいは小型ラップトップパソコンを複数のタブを開いて使うには十分だ。

　あなたがこの方法で使っている電力は、元をたどれば、水道会社が動かしているポンプによって供給されていることになる。そもそもこのポンプこそが、水圧を生み出しているのだから。そのうち空港——あるいはその地域の水道局——の誰かが気づくだろう。だが、たとえ彼らが気づかなかったとしても、毎分15リットルの水はすぐに膨大な量になる。あなたがその水の代金を支払っているかどうかはともかく、その水を置く場所が必要になる。

　ターミナルビルとジェット機をつなぐボーディング・ブリッジが下向きに傾斜しているのは言うまでもない……

「飛行機に水がどんどん
入っていますが、
どうしたんでしょう？」

空気

　残念ながら、屋内の電力源としては、風力は良い選択とはいえない。空港内では大量の空気が循環しているが、排気ダクトから出てくる「風」は概して、蛇口から流れ出る水に比べるかに少量のエネルギーしか持っていないし、効率的に取り込むのも一層難しい。手持ち扇風機程度の大きさの小さな風車を空調システムの排気格子に設置すると、おそらく約50ミリワットの電力を生み出すだろう。だが、これでは1台のスマホを充電しつづけるにも足りない。排気口全体を多数のファンで覆ったとしても、水道の蛇口から得られる電力の1%を得るにも苦労するに違いない。

　これは屋外でも同じだ——流れる空気よりも、流れる水からのほうが電力を得るのはたやすい。そもそも空気を発電に使おうという理由は、空気のほうが水よりたくさんあるからだ。今あなたがこの本を読みながら微風を感じている可能性は十分あるが、川のなかに立っている可能性は低い。世界には、川よりも風のほうがたくさんある。世界中の川が運ぶエネルギーの総量はテラワット（1兆ワット）のレベルだが、風が運ぶエネルギーの総量はペタワット（1000兆ワット）に近い。

火

「すごいライフハック、思いついたの。
物を燃やして電気を作るのよ。ここは、
燃えやすいものがたくさんあるでしょ」

「それって……放火でしょ」

「ちがう、ライフハックだってば！」

「手あたり次第に物に火をつけて、
これは『ライフハック』です、
なんて言っちゃだめだよ」

（訳注：ライフハックは、元々は情報業界で、仕事の効率や質を上げるための工夫を指
して使った言葉だが、最近では作業を簡単に効率よくこなすためのノウハウを指して広
く使われる）

エスカレーター

「あ、そうそう、四大元素よね。空気、水、火、そしてエスカレーター」

（訳注：四大元素とは、すべての物質は空気、水、火、土からできているという、古代ギリシアに誕生した考え方）

　エスカレーターは、乗っている人々にエネルギーを与える。あなたがエスカレーターに乗り、上に昇っていくとすると、エスカレーターはあなたを持ち上げるモーターを回転させるために、余分な電気的エネルギーを消費しなければならない。このエネルギーは位置エネルギーとして、あなたに蓄えられる。次にあなたが回れ右をして、手すりを滑り台にして元の階まで下りるとすると、あなたはスピードがついた状態で到着するだろう。エスカレーターのモーターにもらった位置エネルギー——エスカレーターから無料でいただいたことになる——を運動エネルギーに変換した、というわけだ。

「見てよ。私、このエスカレーターから
タダで位置エネルギーをもらってるの!
これって完全犯罪よね!」

「犯罪じゃないよ」

　エスカレーターがあなたに位置エネルギーを与えるよう
に設計されているというのは間違っていないが、ある種の
単純な機構を使うと、エスカレーターから位置エネルギー
の代わりに電気的エネルギーをもらうことができる。じつ
のところ、エスカレーターとは金属でできた大きな滝であ
り、その動く階段を使えば、滝が水車小屋の水車を回すよ
うに、車軸を回転させることができる。

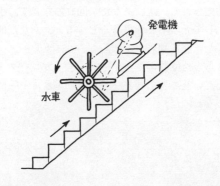

発電機

水車

　平たい板状の羽根の単純なホイールはエスカレーターの段とのかみ合わせが悪く、ガタピシしてしまうだろう。エスカレーターの段とぴったりかみ合うような、ふくらみをもった羽根をしたホイールを作れば、もっと滑らかに動くようになるだろう。羽根を注意深く形作れば、ホイールは滑ることなく、常にエスカレーターと接触するようにできるはずだ。[4]

滑らかに
回転する
ホイール

　このようにしてエスカレーターから取り出すことのできる電力は、かなりの量になり得る。1台のエスカレーターが1分間に行なう力学的な仕事は簡単に計算できる。それ

（4）　階段を滑らかに上り下りできるようなホイールの形状は、アンナ・ロマノフ博士と、その同級生デイヴィッド・アレンがコロラド州立大学で数学を専攻していた当時に導出した。ふたりの設計したホイールは傾斜が45°で一定の大きさの階段を滑らかに上下でき、羽根の形を調整することで、さまざまな形状の階段にも対応できる。

は、「1分当たりの最大乗客数」×「乗客ひとり当たりの
体重」×「エスカレーターの高さ」×「重力加速度」だ。
乗客が満員の状態で、ある階から次の階まで上るエスカレ
ーターは、10キロワットの力学的なパワーを余裕で出力
でき、うまく設計されたホイールを使えば、その大部分を
電力として得ることができるだろう。これは1台のスマホ
を充電するのに十分なばかりか、家1軒の電力をまかなう
に十分な量だ。

　専門家の助言：ホイールはエスカレーターの幅いっぱい
の分厚いものではなく、薄いものにしておいたほうがいい
だろう。どちらにしても危険にはなるだろうが、エスカレ
ーターの横幅を完全にふさいでしまうと、誰かが気づかず
に乗ったときに、あなたの装置は心ならずも人間粉砕機に
なってしまい、せっかくの効率性が落ちてしまう。

ああぁぁぁぁぁぁ！

　ホイールを回転させるのに、「下り」ではなく「上り」
のエスカレーターを使うべきだろう。どちらでもよさそう
ではあるが、人々が乗って錘になっているときに、より大

きな力を働かせるように設計されているのは、「上り」の
エスカレーターのほうなのだ。一方、「下り」のエスカレー
ターは重力の助けがあるので、人々が乗っているとき、
より小さな仕事しかしなくていい。それで下りエスカレー
ターは、ホイールを回転させるために必要な、余計な下向
きの力を働かせるのはちょっときついかもしれないのであ
る。さらに、複数のホイールを使ったほうがいいだろう。
そうすれば、重さをエスカレーター上で分散することがで
きるからだ。

　エスカレーター・ホイールは相当な量のエネルギーを引
き出せるだろうが、だとするとそれは、エスカレーターの
所有者にとっては相当の額の出費になるということでもあ
る。あなたが1台のエスカレーターにホイールを設置して、
1日あたり12時間、10キロワットの電力を強制的に出さ
せたなら、空港ビルの所有者は1カ月に400ドル（約4万
3200円）を超える、余計な電気代を支払わなければならな
くなる。言うまでもないが、ことの真相に気づいたなら、
彼らはいい気はしないだろう。

　もしも実際に空港から追い出されることになったなら、なるべくホイールを一緒に持っていくようにしよう。このホイールは、エスカレーター水車として機能するばかりか、飛び跳ねることなく階段を転げ落ちることができるのだ。これは、なかなかクールな性質だ。

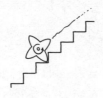

　かつてコメディアンのミッチ・ヘドバーグは、エスカレーターは決して壊れない、それは階段になるだけだと言った。だとすると、エスカレーター水車発電機も決して壊れない……

……それは、極めて非実用的な自転車になるだけだ。

第21章

自撮りするには

　私たちは、人間の両目を1対のカメラのようなものだと考えることがあるが、人間の視覚システムは、どんなカメラよりもはるかに複雑だ。その複雑さを見過ごしがちなのは、一連の働きが自動的に起こるからである。私たちはある場面を見、その画像を頭のなかに捉えるが、その画像を作り出すためにどれだけの処理、解析、そして相互作用が起こるかには気づかない。

　カメラは一般に、ひとつの画像の全面をほぼ同じ解像度で見る。あなたがこのページをスマホのカメラで撮影したなら、写真の中央に写った文字は、端近くに写った文字とほぼ同じ数の画素でできているだろう。しかし、あなたの目はこのようには働かない。あなたの目は、周辺に比べて、視野の中央で細部をはるかに詳細に見ている。目の実際の「画素格子」は、とても奇妙だ。

カメラの画素格子　　あなたの目の「画素格子」

　これほどの解像度の違いに私たちが気づかないのは、脳がそれに慣れてしまっているからだ。人間の視覚システムは画像を処理し、「私たちが見ているものは、ただその場面がどのように見えるかであって、カメラで捉えられるはずのものとまったく同じだ」という、漠然とした印象を私たちに与える。これは普段は問題ないが、自分の頭のなかにあるイメージと、実際のカメラが撮影した写真とを比べると、じつは脳がひそかに調整しているせいで多くの違いがあることに気づく。

　カメラと目の違いのひとつは、視野だ。視野は写真を巡る多くの混乱の原因で、自撮りには特に大きく影響している。

　カメラを自分の顔に近づけて持つと、顔の特徴が実際とは違って見える。その理由と、それがあらゆる種類の写真に影響を及ぼしていることを理解していただくために、これからスーパームーンのお話をしよう。

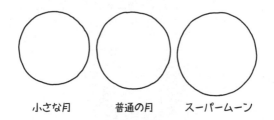

小さな月　　　　普通の月　　　　スーパームーン

　ときどき、もうすぐ起こる何かの天体現象について、突拍子もないデマがインターネットで広まって騒ぎになることがある。

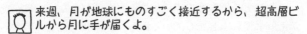

来週、月が地球にものすごく接近するから、超高層ビルから月に手が届くよ。

4月15日、巨大小惑星が地球にぶつかるよ！　恐竜が絶滅するかもしれないって、科学者たちが言ってるよ!!!

天文学者たちによると、今度の金曜、太陽が地球と月のあいだを通過するらしいよ！

3月24日、火星が地球と同じ大きさに見えるよ！　そう思う人は、シェアして！

NASAが今度の7月30日、アンドロメダ銀河が天の川銀河に衝突すると発表したので、ペットを家のなかに入れて、部屋の鉢植の葉っぱが傷まないようにカバーをするのを忘れないでね。

10月4日、太陽はクリーニングのため12時間消えますよ。

天文学者たちが宇宙人から受け取った無線通信によると、毎年恒例のペルセウス流星群は、今回は8月11日から12日にかけてやってくるよ。

　これらの話には、街の建物のシルエットの背後に「スーパームーン」が見える写真が添えられていることもある。こんな写真だ。

　しかし、外に出て月を撮影すると、このような写真になる。

　いったいどうしてこんなことになるのだろう？　1枚め
の写真は偽物（フェイク）だろうか？

　そうかもしれないが、多くの場合そうではない。それは
望遠レンズを使って、非常に狭い画角で撮影された写真な
のだ。

　どの写真も、ある視野を表している。視野が広いとき、
端のほうにあるものも写っているが、視野が狭いときはレ
ンズの正面にあるものだけが写っている。

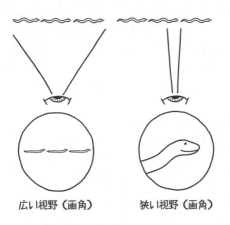

広い視野（画角）　　　　狭い視野（画角）

「ズームイン」するとは、視野を狭くすることだ。ズームインすると小さな被写体が大きくなって、フレームいっぱいに写るので、ズームインとは被写体に「接近」することだと考えがちだ。だが、ズームインは接近することとは少し違う。あなたが被写体に接近すると写真のなかの被写体は大きくなるが、遠方が写った背景の大きさは変わらない。一方、ズームインすると、被写体と背景はともに大きくなる。

元の写真　　　　　　ズームイン　　　　　　接近

「どうも、何かお困りですか？」

　この違いを混同してしまうのは、私たちの目には視野がひとつしかないからだ。私たちは視野の中央にある物体に注意を集中することができるが、そのときも目に写っている総面積は同じである。写真では、極端に広い画角や極端に狭い画角もあり得るが、そのような写真を見ると、目ではあり得ない画角なので、私たちはびっくりしてしまう。
　ここ数十年、写真を撮るひとたちのあいだでは、50mmのフルフレーム・レンズを使うと「自然」に見える──広

40度

すぎず、狭すぎない——写真が撮れるという経験則が共有されている。じつは、この「自然」なレンズの画角は驚くほど狭い。それは約 40 度で、視野としては、ハードカバーの本を顔から約 30 センチ離して掲げたときにその本が覆う範囲とほぼ同じだ。

　だが、この状況は、スマホのおかげでがらりと変わりつつある。というのも、スマホのカメラはこれまでの 50mm レンズよりもはるかに広い画角を持っているからだ。

　たとえば iPhoneX は水平方向の画角が 65 度で、ユーザーは後ろにさがらなくても、広い範囲を写真に収めることができる（しかしこれでもまだ、ある人気撮影テーマを撮るには広さが足りない。それが虹だ。虹は空に 83 度にわたって広がっているので〔虹の広がりの角度は太陽光線に対してプリズムとして働く水滴の屈折率から、色の違いによる広がりはあるが、半径約 42 度と決まっているため、全体を見渡したときの画角は約 83 〜 84 度〕、iPhone のフレームに収まるにはほんの少し広すぎる）。

　このような広角レンズは、今後ますます普及するのではないだろうか。というのも、スマホのユーザーたちは、生活のさまざまな場面を自然に見えるように撮影したり、大勢が一度に写るような自撮りをしたいと思っているからだ。従来の 50mm レンズのカメラを腕を伸ばして持った状態で自撮りをするのは難しい。そしてスマホでは撮影したあとで画像を簡単にクロップする（写真の不要な部分を切り取ること。従来トリミングと言われていたことに近い）ことができる

ので、スマホカメラの設計としてはやや「広すぎる」ぐらいにしておいて、ユーザーにズームなりクロップなりで好きな範囲の画像に加工してもらおうという考え方は理に適っている。だが、広い画角には代償が伴う。小さいもの、あるいは遠くにあるものを広角レンズで撮影すると、期待したような写真にはならないことがあるのだ。

　人間は、月に目を惹きつけられる。私たちは目で実際に「ズームイン」するわけではないが、注目する範囲を狭めて、月だけを選んで見ている。私たちは人間が持つ高解像度の視覚を使って月の詳細な特徴を抽出し、それに比べればつまらない、周囲の空は無視する。

　だがスマホは、私たちの脳のようには「焦点を狭める」ことができない。月はほかのものと同じような画素の集まりに過ぎず、超広角カメラの視野のなかに埋もれてしまう。月をうまく写真に撮るにはズームインしなければならないが、スマホがズームインする能力は限られている。

私の目がとらえた月

私のカメラがとらえた月

　あなたが実際にズームインできるカメラをお持ちなら、月にズームインすると、写真に入れたいほかのもの——あ

なたの周囲の建物や木など――はフレームに収まらなくなってしまう。あなたが立っている場所からは、こうした物は月よりも大きく見える――そうでないことは明らかなのだが（あなたの街の建築規制が異例の緩^{ゆる}さでないかぎり）。

「この塔は
月の10倍の
大きさだって
知ってた？」

　ある物体が月に比べて小さく見えるようにしたければ、その物体が空に広がる角度が小さくなるように、あなたは十分遠くまで移動しなければならない。それが建物だった場合、この移動距離はかなり長くなることもある。町のシルエットの背後に巨大な月が写った写真を撮りたければ、普通は街から 10 キロメートルほど離れたところに立たなければならない。あの素晴らしい写真にはきっと大変な努力と、周到な下準備があったのだろう。

ニュージャージーの山に登って、凍りつくような寒さのなか、レンズをいじくりまわしながら山のてっぺんに１時間座って、やっと撮ったんだ。だから、みんな「いいね」をクリックお願いします

♡ ⤴ ✉ ♡

　普通の写真では、建物がとても大きく、月がとても小さく見えるのは、建物が月よりもはるかに近いからだ。こうして、話は自撮りに戻ってきた。

広角自撮り

　月を小さく見せてしまう広角撮影の効果は、自撮り写真の出来栄えにも影響を及ぼす。スマホで自分の顔を撮影するとき、いい構図にしたくて、顔がフレームの大部分を占めるようスマホを顔に十分近づけなければ、という直感が働いてしまうことがある。しかし、その距離は、普通誰かがあなたの顔を見るときに立つ位置よりもはるかに近く、広角のスマホ・レンズを通すと、全体のバランスが崩れた不自然な画像になってしまう。あなたの鼻と頬は、耳をはじめとするそれ以外の頭部よりもはるかにカメラに近くなり、鼻と頬だけが異様に大きく写ってしまうのだ。スマホ写真の前景の建物が月より大きく見えるように。

　このように変形すると、写真に写った顔は、思いもよらぬかたちで実際とは微妙に違ってしまうことがある。この

ような効果を低減するにはスマホをもっと離して持ち、その後ズームインするといい。ズームインはカメラ・アプリで撮影時に選択しても、撮影後にクロップしても、どちらでもいい。

　では、スマホをどれくらい離して持てばいいだろう？フレームのなかにあるいろいろな対象物の、遠近の違いによる画像の射影歪みを最小にするには、スマホまでの距離を、最も近い対象物と最も遠い対象物のあいだの距離よりもはるかに大きくしなければならないのである。

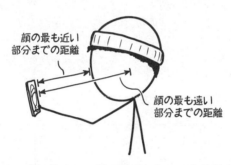

顔の最も近い
部分までの距離

顔の最も遠い
部分までの距離

　あなたの顔のなかで、目で見ることのできる最も近い部分までの距離と最も遠い部分までの距離の差はおそらく30 センチ未満だろうから、スマホを顔から通常の距離だけ離して掲げるか、腕をずっと伸ばしてスマホを持つかで、撮影した画像の歪みは大きく異なる可能性がある。カメラを 1.5 〜 2 メートル離して持てば、この種の歪みはほぼ完全に防げるだろうが、私たちの腕では長さが足りない——自撮り棒の人気の理由のひとつはここにある。

視野をいろいろと細工して、
一味違う自撮りをする

　対象物の遠近差による歪みは、写真に写った顔の各部の相対的な大きさを変えてしまうことがあるが、それ以外にもあなたの写真に影響を及ぼす——こちらの影響は、さまざまなタイプのユニークな自撮り写真を可能にする。

　ズームインすると、背景にある物体の見掛け上の大きさが変わる。あなたが遠方にある巨大な物体——たとえば山など——の前に立っているとすると、カメラのズームインが、その山がどれくらい大きく見えるかを劇的に変える場合がある。

　カメラのタイマーをセットしてからカメラから離れて撮影すると、ごく小さな山でも、巨大な山のように見える写真を撮影することができる。

 山に行って自撮ったよ！

これって、ごみ廃棄場のゴミの山じゃないの？

 当たり！　古い洗濯機のそばにベースキャンプを作ったんだ。

月と一緒に自撮りする

　スマホのカメラはどれだけ遠くまでズームできるかに限界があるが、あなたのカメラに強力な望遠ズームレンズがついていたら、実に面白い自撮りができる。たとえば、街のシルエットの向こう側にスーパームーンが写った写真をまねて、街の代わりにあなたの体がスーパームーンに後ろから照らされている写真を自撮りすることもできる。

　スーパームーンの前にあなたがシルエットになって写っている写真を自撮りするために、カメラがどれだけ離れていなければならないかは、幾何学を使って計算することができる。

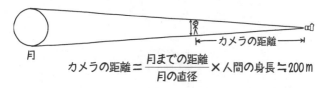

カメラの距離 ＝ $\dfrac{\text{月までの距離}}{\text{月の直径}}$ × 人間の身長 ≒ 200 m

　この計算から、月をバックにした自撮りをするには、カメラが約200メートル離れていなければならない。

「はい、チーズ！」

　長さ200メートルの自撮り棒は製造されていないので、適当な三脚にカメラを載せて、リモコンまたはタイマーでシャッターを切るといいだろう。

　このような写真を、あなたと月がずれないようにうまく撮るのは難しい。まず、あなたが立つ高いところがあって、かつあなたのうしろ、月の側の地平線までに視野を遮るものがないような撮影場所を見つけなければならない。さらに、月は素早く移動するので、あなたと月とカメラが一直線に並んだら、写真を撮影する時間はわずかしかない——約30秒だ。たった2分と少しで、月は完全に視野の外に出てしまう。[(1)]

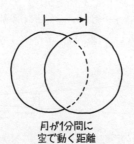

月が1分間に
空で動く距離

　適切なフィルターを使い、細心の注意を払うなら、太陽でこれと同じような写真を撮ることもできる。その結果あなたのカメラが壊れる可能性もあるので、実際に試す前に、近くの天文クラブか写真店に相談しよう。さもないと、カメラが燃える恐れが十分にある。そして、カメラを太陽に向けているときに光学式ファインダーは決してのぞかないこと。あなたの目はカメラとまったく同じではないが、やはり簡単に焦げて穴が開いてしまうだろう。

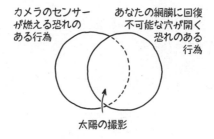

カメラのセンサーが燃える恐れのある行為

あなたの網膜に回復不可能な穴が開く恐れのある行為

太陽の撮影

金星／木星と一緒に自撮りする

　原理的には、もっと小さく、もっと遠くにある物体を使っても、同じような写真を撮ることができる。太陽と月に続いて空に大きく見える天体は木星と金星で、どちらも地球に最接近して最もよく見える時期には、角度にして1分

（1）　グーグル・アースのほかに、Stellarium や Sky Safari などのスカイチャート・アプリ（訳注：プラネタリウムソフトウェア。Stellarium は無料、Sky Safari は有料）を使うと、撮影のプランが立てやすい。

の大きさである。月で使ったのと同じ幾何学を利用して、金星や木星と自撮りするためにカメラをどれくらい遠くに置かねばならないかを計算することができる。答は約6.2kmだ（金星の最接近時の距離4200万km、金星の直径1万2104km、人間の身長1.8mとして計算）。

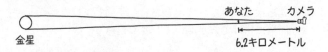

あなた　カメラ

金星

6.2キロメートル

　カメラを6.2キロメートル離して持つことには、明らかにいくつか困難がある。

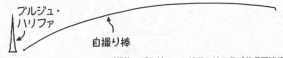

ブルジュ・ハリファ

自撮り棒

（訳注：ブルジュ・ハリファはアラブ首長国連邦のドバイにある世界一高い超高層ビル）

　大気による歪みは、金星が地平線に最も近いときに最大になるので、金星が比較的上空にあったほうがいい──ということは、あなたはカメラよりも高い位置にいなければならないということだ。しかし、カメラもやはり分厚い大気の外側に置きたいので、かなり高いところにあったほうがいい。

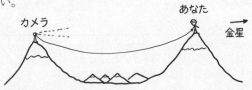

カメラ　あなた

金星

　カメラを山頂に設置し、被写体（あなた）はそれよりさらに高い山頂に立つという配置がよさそうだ。しかし特定の日に金星と一直線に並ぶ、適切な距離だけ離れた、登ることが可能な山をふたつ見つけるには、たくさんの調査と計画が必要だろう。あなた自身が高高度を飛行する航空機や気球に乗ることにすれば、一直線に並ぶという問題は解決できそうだが、あなた自身を正しい位置に持っていくように乗り物を操作するのは極めて困難だろうし、おそらくコンピュータ制御が必要になる。

　あなたがどの方法を選ぼうが、正しく一直線に並ぶのは極めて困難だろうし、写真を撮れたとしても、相当ぼやけたものになるだろう。最善の条件のもとでさえ、地上から木星や金星を鮮明に撮影するのは、大気による歪みのせいで難しい。そのような自撮りを成功させた人はまだいない可能性が高いので、もしも成功したなら当然、インターネット上で自慢して回る権利はあなたのものだ。

　木星または金星との自撮りは光学と幾何学の限界への挑戦で、頂上を極めたと言える写真を撮るのは、地球の上からだとかなり難しいだろう。宇宙へ行けば大気による歪みはあまり問題ではなくなり、あなたは新しい自撮りの可能性を開くことができる。

　宇宙には、角分解能が非常に高い望遠カメラが数台あるが、貸してもらえるよう NASA を説得するのは難しそうだ。

　だが、最高の宇宙望遠鏡よりもはるかに遠くを「ズーム」して宇宙自撮りを行なう方法がひとつ存在する。それには天文学で最もクールな現象のひとつ、「掩蔽」（観察

―――――――――――――――――――――――

（2）　計画通りなら、本書が出版されるまでにはジェームズ・ウェッブ宇宙望遠鏡がついに打ち上げられているはずだ（原書編集者の注：本章編集の時点で、再び延期が決定された）（訳注：2021 年 3 月の予定）（文庫版訳注：再度延期され、2021 年 12 月の予定）。

者から見て、ある天体の前を別の天体が通過して覆い隠す現象）を
使うのである。

掩蔽自撮り

　小惑星が恒星の前を通過するのが地球から観測できると
き、ストップウォッチを持った大勢の人が世界各地で待機
して、恒星が消える瞬間と再び現れる瞬間の時刻を測定す
れば、この測定値を使って、小惑星の画像を形成すること
ができる。

地球上の観測者たち　　　できあがった画像

　この方法を使えば、最高の望遠鏡でも見分けられないほ
ど小さい物体や暗い物体を詳しく見ることができる。そし
て理屈のうえでは、あなたは宇宙にいるあいだにこの方法
を使って、ものすごく遠い自撮りをすることができる。あ
なたが遠方の恒星の前を通過するときに、地球上の各地で
その恒星が消えて、また現れる時刻を記録してくれる、大
勢の友だちのネットワークさえあれば、これは可能だ。

この、「遠方恒星掩蔽自撮り」で、友だちに最高1000キロ程度まで離れたあなたの写真を撮ってもらうことができるだろう。それ以上遠くに行けないのは、回折によってあなたの影が崩れてしまうからである。肉眼で観察できる恒星の代わりに遠方のX線源を使えば、波長が短くなるぶん回折の影響は低下するので、地上で観測している友だちのネットワークは、もしかすると、月面に立っているあなたの写真を撮ることができるかもしれない。

　ひとつ大事なことを。掩蔽が観測できるような天体の位置関係はめったに起こらず、普通、同じ配置は二度と起こらないので、掩蔽自撮りには相当な計画が必要だ——つまり、撮り直しはあり得ないということである。

「待って、さっき腕の格好が変だったね。
それ消去して、もう1回撮ってくれる？」

「ノー!!」

第22章

ドローンを 落とすには
（スポーツ用品を使って）

結婚式の写真撮影用ドローンが、あなたの頭上でせわしなく飛び回っている。そんなところでドローンが何をしているのかわからないし、あなたはドローンを止めたい。

あなたはネットランチャー（網を投射する防犯器具）、発射装置、散弾銃、電波妨害装置、カスミ網、対ドローン用ドローンその他の特殊装置などの高度なアンチドローン装置は持っていないと仮定しよう。

あなたが、非常によく訓練された猛禽を実際に飼っているなら、それにドローンを追いかけさせるのはいいアイデアだと思うかもしれない。インターネットで、訓練された猛禽が空を飛ぶドローンをつかまえる映像が広まることがときどきある。これは一見、胸のすくような方法なのだが、無法な機械に反撃するのに、訓練した動物に体を張って立

ち向かわせなければならない計画はすべて、おそらくうまくない。訓練したチーターをオートバイに飛びかからせて、スピード違反を取り締まったりはしないだろう。それはチーターにとって残酷で危険なことだ。おまけに、チーターの個体数よりも、オートバイの台数のほうがはるかに多い。地球の「オートバイ：チーター」比が正確に計算されたことはないが、おそらく、数十万にはなりそうだ。

　同様に、世界にはドローンのほうが猛禽よりもたくさん存在するのは間違いない──そして新たな猛禽が生まれるよりもはるかに速いペースで、新たなドローンが次々と生産されている。地球の、「ドローン：タカ」比は「オートバイ：チーター」比よりもいっそう見積もりにくいが、1より大きいことはほぼ間違いない。

「オートバイ：チーター」比＝100000超　　「ドローン：タカ」比≧1

　タカを使うのがまずいとすれば、ほかに何が使えるだろう？

　ドローンは空高くを飛んでいるので、あなたもドローンめがけて空中に何かの物体を飛ばすのがよさそうである。人間は、意図したところめがけて空中に何かの物体を飛ばしている──スポーツの世界で。そのやり方については、Q1第10章「物を投げるには」を参照してほしい。

　あなたのガレージには、スポーツ用品がぎっしり詰まっ

ているとしよう。野球のボール、テニスのラケット、ローンダーツ[(1)]、何でもかんでも。ドローンにぶつけるには、どのスポーツの投射体がいちばんいいだろう？　そして、アンチドローン・ガードとして最適なのは、どのスポーツの選手だろう？　野球のピッチャー？　バスケットボールの選手？　テニスの選手？　ゴルファー？　あるいはそれ以外の誰かだろうか？

用具を選択するにあたって、考慮すべき要素がいくつかある——正確さ、重さ、到達距離、そして飛ばすものの大きさだ。

（1）　1980年代を知らない人のために説明しよう。ローンダーツとは先端に金属のティップがついた樹脂製の大型で重いダーツで、中世の武器に似ており、あるゲームの一環として空中に高く飛ばすように、子ども向けに販売されていた。あとから考えれば当然の理由から、やがてアメリカでは禁止されてしまった。

野球のボール	矢	バスケットボール	ブーメラン
長所：重いが速く投げることができる	**長所**：非常に速く、標的を狙いやすい	**長所**：大きいので標的に当たりやすい	**長所**：標的を外すと、戻ってくる
短所：大きさは小さいので、正確に投げなければならない	**短所**：遠くまで飛ぶので、近隣住民に危険が及びかねない	**短所**：重いので、高く投げにくい	**短所**：標的を外すと、戻ってくる

　ドローンには壊れやすいものが多いので、とりあえず、何かを当てることができたら、その時点で壊れると仮定しよう（私のこれまでの経験では、確かにこうである）。

　おおまかに比較するために、さまざまなスポーツでものを投げる正確さを、単純な数値——「飛行距離」と「誤差」の比——で得点化し、評価することにしよう。あなたがボールを3メートル離れた標的に投げるとき、標的を平均で60センチ外してしまうとすると、あなたの「正確さ指数」は300÷60、すなわち5だ。

　中程度のサイズのドローン——DJI社製のMavic Proなど——では、「標的面」は直径30センチ程度である。すると、ドローンの中心をどの方向に15センチ外してもとりあえず当たる、ということになる。そのドローンが12メートル離れたところで上空に浮かんでいるとすると、それにものをぶつけるには、正確さ指数は80でなければならない。投げるものが大きい場合は外せる余地が大きくな

るので、もう少し小さな指数でもいい。

標的が小さいとき　標的が大きいとき

　バスケットボールやゴルフのように、飛ばしたものが高い弧を描いて飛ぶ場合、ドローンの形が幅が広くて平らなおかげで、正確さは少し向上する。また、バスケットボールやフットボールの球のように大きなものを投げる場合、誤差の許容範囲が広くなる。

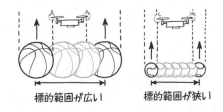

標的範囲が広い　　標的範囲が狭い

　ここに、各種競技会、公開試合、あるいは科学的研究のデータに基づく、さまざまなスポーツ選手が標的にものを当てる「正確さ指数」の推定値を挙げておこう。

スポーツ選手	正確さ指数推定値	12m離れているDJI Mavic Proに命中するには何回トライしなければならないか	典拠
サッカーのキッカー	21	13	オーストラリアのベテラン選手 20 名を対象とした研究
プレースキッカー（a）	23	15	2010 年代後半の NFL のキッカーたち
アマチュアホッケー選手	24	35	趣味でやる人と、大学のホッケー選手 25 名
バスケットボール〔シャキール・オニール(b)〕	36	4	NBA でのフリースローの成功率
ゴルフドライブ / チップ（c）	40	6[(2)]	PGA（d）のドライブ精度統計
バスケットボール〔ステフィン・カリー(e)〕	63	2	NBA フリースローの統計
NHL オールスター（f）	50	9	NHL オールスター・スーパースキル競技会の、シュートの正確さ競技
NFL クォーターバックのパス	70	4	プロボウル(g)「パス的当てゲーム」の平均成功率[(3)]
高校野球の投手	72	3	日本の高校野球の投手 8 人の研究
プロ野球の投手	100	2	
ダーツのチャンピオン	200 〜 450	1[(4)]	PDC（h）によるマイケル・ヴァン・ガーウェンの分析
オリンピックのアーチェリー選手	2800	1	2016 年韓国男子アーチェリーチーム

※以下は訳注。
（a）アメフトでフィールド・ゴールやエクストラ・ポイントのプレースキックを行なう選手。
（b）NBA 史上最も偉大な選手のひとりと言われる人物。
（c）チップショット。グリーンの外からグリーンに乗せるためのショット。
（d）全米プロゴルフ協会。
（e）歴代最高シューターのひとり。
（f）アメリカのナショナルホッケーリーグの優秀選手たち。
（g）NFL のオールスターゲーム。
（h）プロフェッショナル・ダーツ・コーポレーション。

　もしも見つかるなら、アーチェリー選手を選ぶのが一番いいのは間違いない。精度が極めて高く、到達距離が非常に長いことから、ディフェンダーとして理想的だ。野球の投手を選ぶのもいいだろう——おそらく野球のボールも多大な損傷を与えるだろうし。バスケットボールの選手は、正確さは低めだが、その欠点は、投げるボールが大きく、またボールが効率的なアーチ型の軌道で飛ぶことで十分埋め合わされるだろう。ホッケー選手、ゴルファー、そしてキッカーの類はどれも、たぶんあまりいいとは言えないだろう。

　私はこれを現実の世界でテストしてみたかったのだが、テニスについてはいいデータが見つからなかった。プロのテニスプレーヤーに関する研究がいくつか見つかったが、どれもコートに描かれた的に命中させることに注目していて、空中に浮かぶ標的を打つものはなかった。

　そこで私は、セリーナ・ウィリアムズにおうかがいを立ててみた。

　彼女がこころよく協力してくれたのは、うれしい驚きだった。彼女の夫、アレクシスは、テストで犠牲になるドローンとして、カメラが壊れた DJI Mavic Pro 2 を提供して

（2）　この値は非常に正確なロング・ドライブに関するもの。短距離のチップショットは、より正確である可能性がある。
（3）　アメリカのスポーツ番組《スポーツ・サイエンス》で、クォーターバックのドリュー・ブリーズは 20 ヤード（約 18 メートル）離れた的にフットボールを 10 回投げ、10 回命中させた。このことから、このような状況における彼の正確さ指数は 700 以上だと推測され、ダーツのチャンピオンを超える。
（4）　彼らがその正確さをこれだけの長距離でも維持できれば。

くれた。ふたりは、世界最高のテニスプレーヤーが、侵入
してきたロボット飛行物体の撃退にどれほど効果的かを確
かめるために、彼女の練習用コートに向かった。

　私が見つけることのできたわずかな研究によれば、テニ
スプレーヤーはものを投げる選手ほど正確さ指標は高くな
く、投手よりもキッカーに近い成績だろうと推測された。
私自身の最初のおおざっぱな推測は、サーブ時の正確さ指
標は約50、12メートル離れたドローンに命中させるには
5〜7回繰り返さなければならないだろうというところだ
った(テニスボールはドローンを落とすことができるだろ
うか?　ちょっとドローンをはじいて、そのあとカタカタ
揺らす程度ではないだろうか?　など、疑問が山ほどあっ
た)。

　アレクシスはドローンをネットの真上あたりまで飛ばし、
そこでホバリングさせた。そこでセリーナがベースライン
からサーブした。

　彼女の最初のサーブは、かなり低かった。2度めのサー
ブはドローンの片側をかすめて勢いよく飛んだ。

　3度めのサーブは、プロペラのひとつを直撃した。ドローンはスピンし、一瞬、空中に留まるかに見えたが、すぐにひっくり返り、コートにたたきつけられるように落ちた。セリーナは声を上げて笑いだし、アレクシスは様子を確かめるために落下地点まで歩いて行った。ドローンはコートの上に横たわり、そばにはプロペラの破片数個が散らばっていた。

　テニスのプロは5回から7回程度トライすればドローンに命中できるだろうと私は予想していたが、彼女は3回めでやってのけた。

　機械に過ぎないとはいえ、地面にドローンが横たわって
いるのを見るのは、妙に哀れな感じがする。

　破片が回収されたあとも、「ドローンを傷つけて、ほん
とに気の毒に思ったわ」と、セレーナは言った。「かわい
そうなおちびさん」

　私は、「テニスボールをドローンにぶつけるのは、いけ
ないことなんだろうか？」と思わずにおれなかった。

　そこで、専門家に聞いてみることにした私は、MIT メ
ディアラボのロボット倫理学者、ケイト・ダーリン博士に

連絡し、ドローンに面白半分にテニスボールをぶつけるのはいけないことかどうか尋ねた。

彼女はこう言った。「ドローンは気にしないでしょうが、ほかの人は気にするかもしれませんよ」。そして彼女は、ロボットが感情を持っていないことは明らかだが、人間には感情があると指摘した。「私たちはロボットを、まるで生きているかのように扱いがちです。機械に過ぎないとわかっているのに。ですから、ロボットのデザインがますます人間そっくりになってくると、ロボットに暴力的なことをするのをためらうようになるかもしれません。人々はそれを不快に感じるようになるでしょう」

その説明は理に適っていたが、その一方で、人間はロボットの侵入や監視などに自分たちがさらされる危険性を放置していていいのだろうか？

「あなたがロボットを罰そうとするなら、それは見当違いです」と博士は言った。

博士の言うことには一理ある。私たちが懸念すべきは、ロボットではなく、ロボットをコントロールしている人々だ。

ドローンを下ろしたければ、たぶん、別の標的を狙うべきだろう。

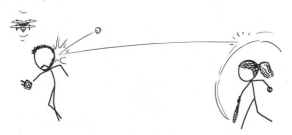

第23章

自分が1990年代育ちかどうか判別するには

あなたはいつ生まれましたか？

たいていの人にとって、これは簡単な質問だ。自分の誕生日を正確に知らない人でも、普通は数年の幅で、いつごろ生まれたかを言うことができる。

しかし、インターネットには、あなたが生まれた年代を特定するのに役立つと謳_{うた}うページがあふれている。これらのページの年代特定はたいてい、あなたが生まれて初めて世間の流行を意識しはじめたころに、アメリカの大衆文化で何が起こっていたかに基づいている。

「申込書に生年月日を書く欄があるんだ。
だからこのサイトのクイズに答えて、ぼくが
1990年代育ちかどうかはっきりさせるのさ。
で、それをもっと絞り込めるような次の
クイズを見つけたいね」

　もちろん、この類（たぐい）のクイズは、自分がいつ生まれたかをあなたが突き止めるのを助けるのが目的ではない。それは、"世間には自分がそこに属する、共通の思い出で結びついたグループがひとつ存在しているのだ" という意識を、あなたに持たせようとしているのだ。

　子どもをターゲットにした映画やテレビ番組は、この種のクイズに特にぴったりだ。それは、子ども時代の思い出は、懐かしいという感情を引き起こすだけではなく、子ども向けの番組はごく狭い範囲の年齢層だけをターゲットにしていることが多いため、「世代」を細かく区別できるからだ。あなたがどのような組み合わせの娯楽媒体とともに成長したかは、あなたの年齢を 2、3 年の幅で特定できる場合もあるほど、正確な「指紋」となることが多い。たとえば、1980 年代の初期から中ごろに生まれた人々は、『リトル・マーメイド』（1989 年）、『美女と野獣』（1991 年）、『アラジン』（1992 年）など、初期の「ディズニー・ルネサンス」（ディズニーの長篇アニメーション映画作品が相次いで成功を収め、ディズニーの評価と人気が飛躍的に回復した時期）の映画を見て成長したことを特に懐かしく覚えているのではないだろうか。一方、1980 年代後半に生まれた人々は、『ライオン・キング』（1994 年）や『トイ・ストーリー』（1995 年）を成長期に見たという、より鮮明な記憶を持っているだろう。1980 年代前半に生まれた人々の多くは、1990 年代後半の、ポケモンの爆発的なブームにはまるにはもう大きくなりすぎていただろう。その一方で、1980 年代後半に生まれた人々は、マサチューセッツ州出身の 5 人組ボーイ・バンド、ニュー・キッズ・オン・ザ・

ブロックを聞くにはまだ幼すぎただろう。

　どうやら、このような回り道で自分の年齢を特定する方法に対する需要が存在するようだ。だが、特定する手がかりを、映画とテレビ番組だけにしておくことはないのでは？　世界は常にさまざまな変化をし、その痕跡を私たちに残しているのだから。

水疱瘡パーティ

　水疱瘡は水痘・帯状疱疹ウイルスによって引き起こされる、痒みを伴う発疹で、発疹の跡は数週間残る。一般に、一度感染した人は、その後新たに感染することはない（しかし、治癒後に潜伏していたウイルスが何年も後になって再び活性化し、帯状疱疹と呼ばれる痛みを伴う発疹を生じることがある）。

　20世紀のほぼ全体を通して、ほとんどすべての人が大人になるまでに水疱瘡に罹った。この病気は、子どもが罹るよりも大人が罹ったときのほうが重症になるので、親たちは自分の子どもたちがまだ幼いころに水疱瘡になることを望んで、彼らをウイルスにさらすために、水疱瘡に罹った子と罹っていない子を一緒に集めて「水疱瘡パーティ」を開いた。免疫を作って、リスクの高い成人してからの感染を避けようとしたわけだ。やがて1995年に水疱瘡のワクチンが登場すると、すべては一変した。

　ワクチン導入後の10年間で、水疱瘡ワクチンの接種率は100％近くにまで上昇し、水疱瘡の発症件数は激減した。

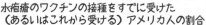

水疱瘡のワクチンの接種をすでに受けた
（あるいはこれから受ける）アメリカ人の割合

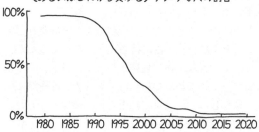

　だれもが罹る病気だった水疱瘡は、ワクチンが導入され
てから 20 年のうちに、珍しい病気になった。1990 年代中
ごろ以降にアメリカに生まれた人には、水疱瘡はポリオと
同じく、過去の病気だと思えるだろう。もしも水疱瘡と水
疱瘡パーティを覚えているなら、あなたはおそらく 1990
年代かそれ以前に生まれたということだ。

予防接種の跡

　水疱瘡の跡は残ることがあるが、水疱瘡のワクチンを接
種しても跡は残らないのが普通だ。ほかの伝染病のワクチ
ンは、その接種を受けた世代の体に跡を残している。

（1）　もしも「すべては一変した」の前に「火の国が攻撃をしかけたと
き」という言葉が来てほしいと思うなら、あなたの年齢はごく限られた範
囲内にあるはずだ（訳注：「火の国が攻撃をしかけたとき、すべては一変し
た」は、アメリカで 2005 年から 2008 年まで放映されたテレビアニメ
《アバター　伝説の少年アン》で繰り返し使われた言葉）。

天然痘は水疱瘡とは別のウイルスによって起こる病気だが、人間が感染する感染性疾患としては、おそらく最も多くの死亡者を出しているだろう。ヨーロッパ人が南北アメリカ大陸にやってきたとき、天然痘も——肝炎などその他の病気とともに——一緒に持ち込まれてしまったが、先住民たちは生まれながらの免疫を持っておらず、感染に対し無防備だった。これらの病気はアメリカ大陸全域に広がり、そこに暮らしていた人々のほとんどが命を落とした。天然痘による死者の正確な数は知られていないが、20世紀だけでも、天然痘によって数億人が亡くなっている。

人間の宿主がいなければ、ウイルスは生き延びることができない。最初の天然痘ワクチンは18世紀末に開発されたが、19世紀が終わるまでに工業化国の大半で、比較的稀な病気となった。20世紀になると、医学の進歩によって世界中でワクチンの生産と輸送が容易になり、天然痘の撲滅を目指す世界的な運動が起こった。それが功を奏し、「自然環境」における天然痘の感染は1977年にソマリアで発生したものが最後となり、また、1978年にある大学の研究室での事故によって起こった感染が史上最後の事例であり、それによる死者が、天然痘による最後の死者となっている。

天然痘のワクチンは、先端が二又に分かれた針を使って接種する（日本では「種痘」と呼ぶ）。この針で皮膚の数ヵ所が一度に破れて、ワクチンが皮下に届く。

天然痘のワクチン
接種用の針

ワクチン

ワクチンには弱められたウイルスが含まれており、その接種により、実際に天然痘に感染したときと同じような腫れや水疱、かさぶたが接種箇所にひとつだけ生じる。2、3週間後、かさぶたの下の傷は治るが、種痘特有の丸い傷跡が残る。

天然痘予防接種痕

アメリカにおける最後の天然痘感染は 1949 年のことで、アメリカとカナダの子どもに対する天然痘の定期予防接種は、1972 年に終了した（日本では 1976 年に終了）。

あなたがアメリカまたはカナダの出身で、二の腕または脚の外側にこの予防接種痕があるなら、あなたは 1970 年ごろ以前に生まれたことになる。⁽²⁾この丸い痕は、人類の最も恐ろしい敵との闘いで受けた戦傷だ。そして、あなたにこのような傷跡がないなら、それは私たちの勝利の証明である。

（2）　いくつかの特定の集団に対しては、子どもの定期予防接種が廃止されてからも 10 年程度、天然痘の予防接種が続けられた。それらの集団とは主に医療従事者や兵士などの、感染のリスクが比較的高いと考えられた人々である。

あなたの名前

　赤ん坊につける名前にも流行り廃りがある。

　なかには、常に一定の人気を誇る名前もある。エリザベス、マーシャル、スザンナ、ニーナ、そしてネルソンなどは、アメリカで何世代にもわたって一貫して人気がある。ジョン、ジェームズ、ジョセフなど、聖書に由来する名前（それぞれ、ヨハネ、ヤコブ、ヨセフから来ている）も比較的一貫して人気がある。しかし、子どもの命名のパターンの変化も、あなたが知らないうちにあなたの年齢を知る手がかりになることがある。聖書に由来する名前のひとつ、サラは 1980 年代にはアメリカで最も人気の高い名前のひとつだったが、2010 年代の中ごろまでには、アメリカでは「サラ」よりも「ブルックリン」と名づけられる赤ん坊のほうが多くなった。

　ここに 5 年ごとのスパンで見た、その時期に生まれた人々に最も多く、そのころを代表するような名前のリストを挙げておく。人気があった時期が 10 年程度と、非常に短い名前もいくつかある。あなたがそのころアメリカで生まれたのなら、それらの名前は一般的でありふれたものと思われるかもしれないが、じつはあなたの世代をはっきりと示す証拠なのである。

1880	ウィル、モード、ミニー、メイ、コーラ、アイダ、ルラ、ハッティー、ジェニー、エイダ
1885	グローヴァー、モード、ウィル、ミニー、リジー、エフィー、メイ、コーラ、ルラ、ネッティー
1890	モード、メイ、ミニー、エフィー、マーベル、ベッシー、ネッティー、ハッティー、ルラ、コーラ
1895	モード、メイベル、ミニー、ベッシー、マミー、マートル、ハッティー、パール、エセル、バーサ
1900	メイベル、マートル、ベッシー、マミー、パール、ブランチ、ガートルード、エセル、ミニー、グラディス
1905	グラディス、ヴィオラ、メイベル、マートル、ガートルード、パール、ベッシー、ブランチ、マミー、エセル
1910	セルマ、グラディス、ヴィオラ、ミルドレッド、ビアトリス、ルシル、ガートルード、アグネス、ヘイゼル、エセル
1915	ミルドレッド、ルシル、セルマ、ヘレン、バーニス、ポーリーン、エレノア、ビアトリス、ルース、ドロシー
1920	マージョリー、ドロシー、ミルドレッド、ルシル、ウォーレン、セルマ、バーニス、ヴァージニア、ヘレン、ジューン
1925	ドリス、ジューン、ベティ、マージョリー、ドロシー、ロレイン、ロイス、ノーマ、ヴァージニア、ジョアニータ
1930	ドロレス、ベティ、ジョーン、ビリー (Billie)、ドリス、ノーマ、ロイス、ビリー (Billy)、ジューン、マリリン
1935	シャーリー、マレーネ、ジョーン、ドロレス、マリリン、ボビー、ベティ、ビリー (Billy)、ジョイス、ビバリー
1940	キャロル (Carole)、ジュディス、ジュディ、キャロル (Carol)、ジョイス、バーバラ、ジョーン、キャロライン、シャーリー、ジェリー
1945	ジュディ、ジュディス、リンダ、キャロル (Carol)、シャロン、サンドラ、キャロライン、ラリー、ジャニス、デニス
1950	リンダ、デボラ、ゲイル、ジュディ、ゲーリー、ラリー、ダイアン、デニス、ブレンダ、ジャニス
1955	デブラ、デボラ、キャシー (Cathy)、キャシー (Kathy)、パメラ、ランディ、キム、シンシア、ダイアン、シェリル
1960	デビー、キム、テリ、シンディー、キャシー (Kathy)、キャシー (Cathy)、ローリー、ロリ、デブラ、リッキー
1965	リサ、タミー、ロリ、トッド、キム、ロンダ、トレイシー、ティナ、ドーン、ミシェル

1970	タミー、トーニャ、トレイシー、トッド、ドーン、ティナ、ステイシー（Stacey）、ステイシー（Stacy）、ミシェル、リサ
1975	チャド、ジェイソン、トーニャ、ヘザー、ジェニファー、エイミー、ステイシー（Stacy）、シャノン、ステイシー（Stacey）、タラ
1980	ブランディー、クリスタル（Crystal）、エイプリル、ジェイソン、ジェレミー、エリン、ティファニー、ジェイミー、メリッサ、ジェニファー
1985	クリスタル（Krystal）、リンゼイ（Lindsay）、アシュリー、リンゼイ（Lindsey）、ダスティン、ジェシカ、アマンダ、ティファニー、クリスタル（Crystal）、アンバー
1990	ブリタニー、チェルシー、ケルシー、コーディ、アシュリー、コートニー、ケーラ、カイル、メガン、ジェシカ
1995	テイラー、ケルシー、ダコタ、オースティン、ヘイリー（Haley）、コーディ、タイラー、シェルビー、ブリタニー、ケーラ
2000	デスティニー、マディソン、ヘイリー（Haley）、シドニー、アレクシス、ケイトリン、ハンター、ブリアンナ、ハナ、アリッサ
2005	エイダン、ディエゴ、ギャビン、ヘイリー（Hailey）、イーサン、マディソン、エヴァ、イザベラ、ジェイデン、エイデン
2010	ジェイデン、エイデン、ネヴァ、アディソン、ブライデン、ランドン、ペイトン、イザベラ、エヴァ、リアム
2015	アリア、ハーパー、スカーレット、ジャクソン、グレイソン、リンカーン、ハドソン、リアム、ゾーイ、ライラ

　あなたの同級生の名前がジェフ、リサ、マイケル、カレン、デイヴィッドなら、あなたはおそらく 1960 年代中ごろの生まれだろう。同級生がジェイデン、イザベラ、ソフィア、エヴァ、イーサンなら、たぶん 2010 年ごろの生まれだろう。

　だが、名前が年齢を明かす方法は、ほかにもある。

　1990 年代中ごろのテレビドラマ、《フレンズ》は、マシュー、ジェニファー、コートニー、リサ、デイヴィッド、そしてもうひとりマシューという名前の俳優たちが演じる 6 人のルームメイトを中心に展開した。これらの名前はそれぞれに人気の浮沈を経ている。次のグラフのようにこれ

をすべて重ね合わせると、この 6 人の俳優たちが生まれた
年代を推定することができる。

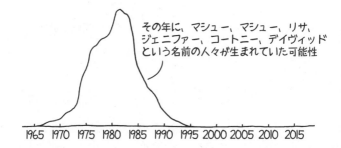

その年に、マシュー、マシュー、リサ、
ジェニファー、コートニー、デイヴィッド
という名前の人々が生まれていた可能性

1965 1970 1975 1980 1985 1990 1995 2000 2005 2010 2015

　6 人の俳優たちは、実際には 1960 年代の末、彼らの名
前の人気がちょうど高まりはじめるころに生まれている。
言い換えれば、彼らは時代の少し先を行く名前を持ってい
る。コートニー・コックスとジェニファー・アニストンの
名前は、10 年後になるまで人気が出ない（流行を先取り
する親を持つ人々が俳優になることが多いということなの
かもしれない）。それでも彼らの名前は少し時代を先取り
しているとはいえ、年代別の人気の名前の傾向から外れて
はいない。
　だが、彼らが演じる登場人物たちの名前——フィービー、
ジョセフ、ロス、チャンドラー、レイチェル、モニカ——
を見ると、状況は違っている。

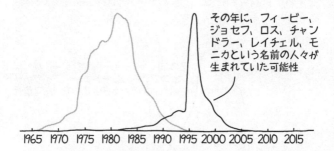

その年に、フィービー、ジョセフ、ロス、チャンドラー、レイチェル、モニカという名前の人々が生まれていた可能性

このテレビドラマの放送が始まったのは1994年だ。この6つの名前は1995年と1996年に明らかに人気が急上昇しているが、それはこのドラマのせいで、新しく親になる人たちの頭のなかにこうした名前が刻み込まれたからなのかもしれない。だが、きっと番組だけが原因ではないだろう——これらの名前は、《フレンズ》の放送開始以前からはっきりと人気の上昇を示している。子どもにいい名前を探している親たちは、登場人物にいい名前を探しているテレビドラマのライターたちと同じ文化的傾向によって影響されただけなのかもしれない。

放射能を持つ歯

人類は1945年に核兵器を発明した。うまく作動するかどうかを確かめるために最初のひとつを爆発させ、続いて別のふたつを戦争で爆発させた。その戦争が終わると、ただ何が起こるか見るだけのために、さらに数千個の核兵器を、私たちは爆発させた。

　これらのテストから、私たちは多くを学んだ。そのひとつが、「核兵器を爆発させると、放射能を持った塵が大気を満たす」ということだった。また、核兵器はさらに強力にできることもわかった。じつのところ、どれだけ強力にできるかには、ほとんど制約はなかった。これは人々を少し不安にさせた。アメリカ合衆国とソビエト連邦は、事実上世界を終わりにするのに十分な核兵器の備蓄をすぐに整えた。遠方にいる人間がボタンをひとつ押すだけで、今すぐにでも世界が終わるような大災害を引き起こせるという事実は、1950 年代と 60 年代の子どもたちに強い印象を残した。

　だが、残されたのは心の印象だけではなかった。身体にも痕跡が残されたのだ。

　大気圏内での核爆発の大半は 1950 年代中ごろから終盤にかけて行なわれたが、1961 年と 1962 年には、いっそう大規模な核実験が数度行なわれた。放射能汚染に対する懸念が高まるなか、アメリカとソ連は地上での核実験をすべて停止し、核実験は地下のみで行なうことに合意した。両国は 1963 年に部分的核実験禁止条約を締結し、大規模な大気圏内核実験の時代に終止符を打った。その後数十年のあいだ、フランスと中国が数回の大気圏内核実験を行なっただけだ。1980 年 10 月 16 日に中国が行なったのが、地球の大気圏内での最後の核実験である[(3)]。

　これらの爆発によって生じた、放射能を持つ破片は、大

---

　(3)　あなたが西暦何年にこの文章を読んでおられるかはわからないが、これがまだ正しい記述であることを願う。

気全体にまき散らされた。そこには多種多様な放射性元素が含まれていた。セシウム 137 などの放射性元素は人体に蓄積し、癌の原因となった。また、炭素 14 などは人間の健康には無害だが、放射性年代測定法を狂わせてしまい、考古学者たちには迷惑極まりなかった。

　炭素 14 は宇宙線と大気の相互作用によって自然界で生成され、約 5700 年の半減期で窒素 14 へと崩壊する。大気中の炭素の一部は常に炭素 14 で、残りは炭素 12 と炭素 13 だ。やがて崩壊して別の元素になること以外は、炭素 14 は安定なほかの炭素同位体とまったく同じように振舞い、何の問題もなく有機物質に取り込まれる。ある生命体が死ぬとき、その生物学的プロセスで起こっていた、大気とのあいだの炭素の交換が停止し、その生命体に含まれる炭素 14 の放射性崩壊が始まる。ある考古学的試料に炭素 14 がどれだけ残っているかを測定すれば、その生命体が新たな炭素 14 を受け取らなくなったのがどのくらい昔のことかを特定できる。つまり、その生命体がいつ死んだかを特定できるのだ。

　この手法——放射性炭素年代測定法——が使えるのは、その生命体が生きていたときの大気中の炭素 14 の濃度がわかっているときだけだ。炭素 14 は宇宙線によって生成されるので、その濃度は長い歳月にわたってほぼ一定だと考えられるが、私たちの登場によって、そうではなくなってしまった。核実験で、大量の炭素 14 が大気に放出されてしまったのだ。

---

(4)　「有機」とは、つまるところ「炭素を基盤とする」ということだ。

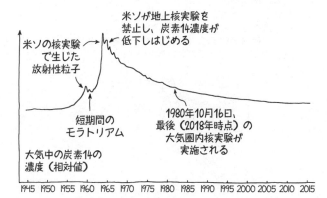

米ソが地上核実験を
禁止し、炭素14濃度が
低下しはじめる

米ソの核実験
で生じた
放射性粒子

短期間の
モラトリアム

1980年10月16日、
最後（2018年時点）の
大気圏内核実験が
実施される

大気中の炭素14の
濃度（相対値）

1945 1950 1955 1960 1965 1970 1975 1980 1985 1990 1995 2000 2005 2010 2015

（訳注：ここでの「モラトリアム」とは、政治問
題や健康問題への配慮などの理由で、各国が核実
験を自主的に一時停止すること）

　生命体の試料の年代を放射性炭素年代測定法で特定しよ
うとする未来の考古学者は、20世紀に炭素14の濃度が異
常に上がったことを必ず考慮に入れなければならないだろ
う。さもないと、せっかく発掘したすべての試料の年代を
誤って計算することになってしまう。

「これ、『近所の新しい子どもたち』って呼ばれて
た、人間のミュージシャンたちの骨なの。活動して
たのは1990年代だけど、放射性炭素年代測定法によ
ると、800年近く生きつづけたみたいよ」

（訳注：前出のニュー・キッズ・オン・ザ・ブロックは、
直訳するとこんな意味になる名前）

　核実験で放出されたもうひとつの核汚染物質が、スト
ロンチウム90だ。ストロンチウムは化学的性質がカルシウ
ムに似ているので、私たちの体はそれを歯や骨に取り込ん
でしまう。1960年代に子どもだった人々は、大量のスト
ロンチウムを吸収している。研究者たちは1950年代から
1960年代の乳歯を集め(5)、ストロンチウム90の含有量を調
べた。その結果、放射能による汚染が確認され、大気圏内
核実験のモラトリアム実現の気運を高めた。
　大気中のストロンチウム90の濃度は、1960年代前半以
降低下している。歳月の経過とともに、自然に骨が再生す
るプロセスによってストロンチウムが除去されるにつれ、
ベビーブーマー（第二次世界大戦直後にアメリカで出生率が急上
昇した、1946年ごろから1964年ごろまでに生まれた人々のこと）
の骨格に含まれるストロンチウムの濃度は低下した。1990

（5）　こういうことをする人たちは、作り話（フェアリー・テイル）をす
る人じゃなくて、まっとうな研究者だとせめて期待したいところだ。

年代までには、ベビーブーマーと子どもたちの骨格中のストロンチウム濃度は同じになった。

　一方、歯は骨に比べ小さく安定しており、骨ほどのペースでは自然に再生しない。永久歯が 1960 年代前半に形成されつつあった人々の歯は今日なお、ストロンチウム 90 の濃度がやや高い可能性がある。

　核実験で大気に大量の放射性物質が放出されたのと同じように、有鉛ガソリン（微量の鉛を含むガソリン）が自動車に使われて大量に燃焼されたことにより、大気は鉛でも汚染された。これによって、20 世紀中ごろには鉛中毒が広まり、1972 年ごろがそのピークとなった。1970 年代後半、子どもの血中鉛濃度の平均値は 1 デシリットル当たり 15 マイクログラムだったが、それ以前の 10 年間にはそれ以上の値だったと推測される。多くの地域の子どもたちの血中鉛濃度が 20 マイクログラム／デシリットルを超えていたが、今ではそれは、成長過程の脳に深刻な損傷を起こすのに十分な濃度であることが知られている。いくつかの研究から、歯のエナメル質（歯の最表層にあたる、人体でも最も硬いといわれている組織）に含まれる鉛は環境とのあいだで交換されないので、ベビーブーマーならびに X 世代（ジェネレーションX）（1960 年代から 1980 年代初めにかけて誕生した、ベビーブーマーの次の世代）の人々は、永久歯の鉛濃度もほかの世代の人々より高い可能性がある。これらのストロンチウムと鉛は、いま実際に健康被害を起こすとは考えられないほど微量だが、それでも私たちは、これらの元素を子ども時代の記念品として持ちつづけているのだ。

　20 世紀中ごろに環境に放出された汚染物質の大半は、

消えつつある。ヨウ素 131 などの元素は、最初の数カ月は大量の放射線を出すが、すぐに崩壊してしまう。より寿命の長い炭素 14 は、自然の炭素の循環によって除去されつつあり、今では炭素 14 は、ほぼ「自然な」レベルまで低下している。ストロンチウム 90 の半減期はもうひとつの主要な汚染源、セシウム 137 と同じく、約 30 年だ。本書（原書）出版時において、1960 年代の核実験に由来するストロンチウム 90 とセシウム 137 の 4 分の 1 が残留している。

　だが、放射性元素が徐々に環境から除去され、より不活性なかたちへとゆっくり崩壊するとしても、それらの元素の痕跡は私たちの体に残ったままだ。核実験が原因で発症した癌で亡くなった人はいったい何人いるのか、本当のことは誰にもわからない。少なく見積もって数千人、多く見積もって数十万人程度だろうか。これらの核兵器のテストによる、物言わぬ秘密の死者数は、広島と長崎の原爆投下による死者よりももしかすると多いかもしれない。第二次世界大戦後の短い期間に私たちが行なった選択が残した負の遺産は、今後も長いあいだ私たちのところに留まるだろう。

　そのような次第で、自分が子どもだったのは 1990 年代か 1950 年代かを特定したければ、歯を調べよう。

（6）　化石燃料の燃焼により大気には炭素 12 と炭素 13 が放出され、これによって炭素 14 の濃度は実際に低下するのだが、核実験による炭素 14 の大幅な増加によって、この効果はかき消されてしまう。

「歯、集めました」

「それ、ベビーブーマーの歯？」

「ええ、でも……」

「まっぴらよ。どこかに持っていってちょうだい」

（訳注：左は抜けた乳歯をお金と換えてくれる、いわゆる「歯の妖精」らしい）

第24章

選挙で
勝つには

「これは選挙です、
人気投票ではありません」

「選挙って要は、人気投票じゃん」

　選挙に勝つには、投票用紙であなたの名前を選んでくれるように（アメリカの投票用紙はマークシート方式で、全候補者の氏名が列挙されている）、多くの人々を納得させなければならない。あなたが使える一般的な方法が、このふたつだ。

■　あなたを支持してくれるように、多くの有権者を説得する
■　人々が投票用紙で、うっかりあなたの名前を選んでしまうように仕向ける

　最初のアプローチには、魅力、カリスマ性、能力に、説得力あるメッセージと、未来に関するさまざまな競合するビジョンのどれを選ぶかを明確に示す、などの要素がうまく組み合わされていなければならない。これは大変なことなので、まずふたつめの方法について考えよう。

うっかりあなたの名前を選んでしまうよう、有権者を仕向ける

　この戦術は、結果は総じて五分五分（ごぶごぶ）なのにもかかわらず、長年にわたり広く利用されている。

　2016年、オンタリオ州ソーンヒル出身のあるカナダ人男性が、137ドル（カナダドルなら約1万1000円）を支払って合法的に「Above Znoneofthe」に改名し、地方選挙への立候補を届け出た。彼の目論見（もくろみ）はこうだ。投票用紙に、「ZNONEOFTHE ABOVE」と表記してもらおう。苗字の頭にZがついているのだから、アルファベット順に並んだ候補者名のいちばん下に載るはずだ。すると投票者たちは、彼の名前を「None of the above（上のいずれでもない）」という選択肢だと勘違いするだろう、というわけである。彼には気の毒だが、投票用紙の候補者名はたしかに苗字のアルファベット順に並べられたのだが、その名前は〈名〉〈姓〉の順で表記された。その結果彼は、「Above Znoneofthe」として投票用紙に記載された。Znoneofthe氏は当選することはできなかった。

　あなたが小規模な地方議会に立候補しているのなら、有権者の大半が選挙期間中にあなたのことをまったく知らな

いままに終わる可能性がある。特にあなたの選挙が、高い投票率の見込まれる大きな選挙と同じ年に行なわれるなら、なおさらそうだ。[(1)](#) このような状況では、名前以外にあなたを判断する材料を持たない有権者が多くなってしまいそうだ。

　これは、ときに混乱を生み──同時に機会をもたらす。2018年、カンザス州選出下院議員のロン・エスティーズは再選を目指して立候補したが、共和党予備選挙（アメリカでは連邦議会議員選挙でも、党の公認候補を決める予備選挙が行なわれる）で、政治の世界の新参者で同姓同名のロン・エスティーズの挑戦を受けることになった。

　第2のロン・エスティーズは、投票用紙に「Ron M. Estes」と記載された。現職のロンは選挙活動用の署名を「Rep. Ron Estes」に変更し、投票用紙にもそう記載されるようにした。そして、MはMisleadingのMだという選挙CMを流し、有権者に呼びかけた。対するもうひとりのロンは、MはMerica（Americaの短縮形。スラングのひとつ）のMだと応酬した。

　結局、第2のロンの名前作戦はうまくいかなかった。ついに予備選挙の日が訪れると、彼は現職のロンに大敗した。

（1）　大好きな大統領候補者のために喜んで投票所に足を運ぶような人々は、中間選挙に一票を投じる、より責任感の強い人々ほどには、同じ投票用紙に載っているほかの候補者たちのことは知らない恐れがある。

選挙結果

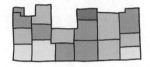

　□ ロン・エスティーズ ✓ 当選

　■ ロン・エスティーズ

選挙区の地図

　だが、名前を使った作戦が実際に功を奏したこともある。ボブ・ケイシー（Bob Casey）に訊いてみよう。

　1960年代に始まり21世紀に至る今まで、ペンシルベニア州ではボブ・ケイシーという名の異なる5人の人々が州選挙や連邦選挙に立候補しているが、有権者たちが常に自分が選んだ人にちゃんと投票できていたかどうかは、定かではない。

　ペンシルベニア州のボブ・ケイシーたち（Bob Caseys）[(2)]をざっと紹介しよう。

- ■ **ボブ・ケイシー #1**：スクラントン出身の弁護士
- ■ **ボブ・ケイシー #2**：カンブリア郡の登記官
- ■ **ボブ・ケイシー #3**：広報コンサルタント
- ■ **ボブ・ケイシー #4**：教員兼アイスクリーム販売業者
- ■ **ボブ・ケイシー #5**：ボブ・ケイシー #1 の息子

---

(2)　複数形はむしろ、Bobs Casey だろうか？

ボブ・ケイシー#1　ボブ・ケイシー#2　ボブ・ケイシー#3　ボブ・ケイシー#4　ボブ・ケイシー#5
（弁護士）　　　（郡の役人）　　（広報コンサル　（アイスクリーム　（ボブ・ケイシー#1
　　　　　　　　　　　　　　　　タント）　　　　販売）　　　　の息子）

　1960 年代以来、ボブ・ケイシー #1 は州のいくつもの公
職選挙で当選し、瞬く間に州政界のスターとなった。1976
年、州では財務官の選挙が行なわれることになったが、当
時州の会計検査長官だったボブ・ケイシー #1 は 1978 年
の州知事選に出馬するつもりだったので、財務官には立候
補しないことにした。しかし、ボブ・ケイシー #2 ――カ
ンブリア郡の役人――はこれに出馬した。

　同じ年、ボブ・ケイシー #3 は州の第 18 選挙区で州議
会選挙に立候補した。彼の対立候補は、彼がボブ・ケイシ
ー #1 の人気を利用しようとしていると言って非難した。
ボブ・ケイシー #3 は、ボブ・ケイシー #2 こそ自分とボ
ブ・ケイシー #1 ――ふたりの真のケイシー――の人気に
便乗しようとしているのだと反論した。ボブ・ケイシー
#3 は予備選に勝って共和党の公認を獲得したが、結局本
選では民主党候補者に敗れてしまった。

　ボブ・ケイシー #2 はというと、選挙活動はほとんど行
なわなかったにもかかわらず、彼も民主党の予備選で、党
の公認候補だったキャサリン・ノールほか数名の候補者を
破って勝利した。ノールが使った選挙活動費は 10 万 3448

ドル、ケイシーは 865 ドルだった。

　ボブ・ケイシー #2 は本選でも勝利し、財務官として 4 年の任期を務めた。共和党は有権者たちに、この「ボブ・ケイシー」は彼らがそうだと思い込んでいたボブ・ケイシー #1 とは別人だと知らせるキャンペーンを開始し、そのかいあってか 1980 年には共和党公認候補——バド・ドワイヤー——がケイシー #2 を破った。
(3)

　ボブ・ケイシー #2 が財務官を務めていた 1978 年、ボブ・ケイシー #1 は州知事選に向けて活動を開始した。運悪く、この年ボブ・ケイシー #4 ——ピッツバーグ出身の教師兼アイスクリーム販売業者——が選挙活動を開始した。ボブ・ケイシー #1 は州知事に立候補した一方、ボブ・ケイシー #4 は同じ予備選挙で州副知事に立候補した。有権者たちはボブ・ケイシー #1 が両方のポストを兼ねるつもりだと思い込んだせいか、予備選の結果、副知事にはボブ・ケイシー #4 が指名され、知事にはピート・フレアティなる人物が指名されることになった。だが結局、「知事はフレアティ、副知事はケイシー #4」という民主党コンビは、本選では敗退してしまった（ペンシルベニア州では、副知事は予備選後の本選の際には知事と一組となって立候補する）。
(4)

　1986 年、ボブ・ケイシー #1 は自ら「本物のボブ・ケイシー」と名乗って再び州知事に立候補し、ついに当選を果たした。彼は州知事を 8 年間務め、1994 年に引退した。2
(5)

（3）　キャサリン・ノールはやがて 1988 年に財務官に選出され、その後州副知事も務めた。
（4）　あるいは有権者たちは、財務官のボブ・ケイシー #2 が中間選挙で知事に立候補したのだと思っていたのかもしれない。

年後、ボブ・ケイシー #5──彼の息子、ボブ・ケイシー・ジュニア──が会計検査長官に立候補し、当選を勝ち取った。その後彼は州財務官に就任し、やがて上院議員になり、2018 年に再選されている。

ボブ・ケイシー選挙戦年表

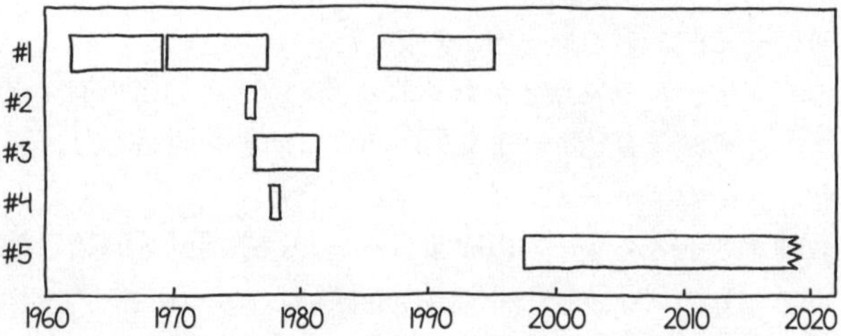

そのような次第なので、もしもあなたが公職選挙に立候補するなら、名前をボブ・ケイシーに変えてみてはどうだろう。ひょっとすると、当選できるかもしれないですよ！

大勢の有権者を、あなたに投票するよう説得する

　選挙で勝つのは難しい。ありていに言えば、人間は複雑で、しかも大勢おり、そして他人がなぜそのような行為をしているのかやその人が次に何をしようとしているのか、100％理解している人は誰もいない。

（5）　ボブ・ケイシー #1 の勝利には、選挙参謀ジェームズ・カービルの貢献があった。カービルはその後、ビル・クリントンの大統領選挙戦にも協力し、勝利に資した。

　だが、もしもあなたの目標がただ選挙に勝つことだけなら、一般原則として、有権者が好きなものには賛成し、嫌いなものには反対すべきだ。そのためには、有権者たちが何が好きで何が嫌いかを突き止めなければなるまい。

　市民が何を考えているかを明らかにするために最もよく使われる手法は、世論調査だ——大勢の人々に話しかけ、何を考えているかを尋ね、そして結果を集計するのである。

　ファイブサーティーエイト（FiveThirtyEight）（名称はアメリカ合衆国の選挙人の数、538 に基づく）というウェブサイトは世論調査の分析、政治、経済等を扱っているが、どんなことになるかちょっと試してみようと、プロのスピーチライター 2 名に、できる限り有権者たちに迎合したスピーチを書いてもらったことがあった——大多数の有権者が支持するようなことを話して、あるひとつのグループ、または選挙人全般に迎合するようなスピーチを書かせたのだ（2016 年に、共和党、民主党それぞれのスピーチライターひとりずつに、それぞれの有権者に向けた、架空の選挙の街頭演説を書いてもらった）。

　だが、私たちが最も同意することとは何だろう？　あなたの目標が単に人気のある事柄を支持して人気のない事柄に反対することなら、何を大義として掲げて選挙運動すべきだろう？　この国のなかで、最も議論を引き起こさないテーマとは何だろう？

　これを突き止めるために私は、コーネル大学のローパー世論調査センターのデータ利用およびコミュニケーションズ・ディレクター、キャスリーン・ウェルドンに連絡し、センターが保管している世論調査の調査を依頼した。ロー

パー・センターでは世論調査のデータを集計した巨大なデータベースを維持しているのだ――事実上、アメリカ合衆国で世論調査を一度でも実施したことがあるすべての組織から、ほぼ100年におよぶ期間に行なわれた世論調査で提示した70万件を超える質問が集められている。

「ローパー・センターの世論調査データベースに収集された質問のなかから、最も『回答が一色になる』質問――ほとんどすべての回答者が同じ答をした質問――を探し出したいのです」と、私は自分の意図を説明した。このような質問はある意味、最も議論を引き起こさないテーマと言えるだろう。

　ローパー・センターの研究員たちは70万問の質問を集めたデータベースを調べ、少なくとも95%の回答者が同じ答をした質問のリストを作成してくれた。

　これほど多くの回答者がある世論調査で何かに合意するなんて、極めて珍しいことだ。このような調査ではほとんど常に、回答者のごく一部は調査を軽んじて、あるいは質問を誤解して、ばかげた答を選ぶものだ。しかし、回答が一色になる質問そのものも、まずもってなされないものである――なぜなら、特定のことを証明しようとしているのでなければ、議論を引き起こさないテーマについて、わざわざ世論調査など誰もやらないからだ。ローパー・センターのデータベースに保存されているものはすべて、ある人物もしくは組織が質問するためにわざわざ誰かに委託して世論調査を行なったものなので、それは実際には議論を引き起こさないとしても、少なくとも潜在的に議論を引き起こす可能性があるということだ。

　こうして特定した世論調査史上最も「回答が一色にな
る」（議論を引き起こす可能性が低い）質問のなかから、
いくつか選んだものをリストにしてここに挙げておく。公
職選挙に出馬しようとするあなたは、これらの意見を自分
自身の主張として掲げれば、大船に乗ったようなものだ。
少なくともひとつの科学的な調査から、そうすれば有権者
を間違いなくあなたの支援者として確保できるとわかって
いるのだから。

広く支持された意見

　（質問のもとの文章は、末尾の「参考文献」に掲載）
実際のデータによれば……

95%　が、映画館での携帯電話の使用に反対。
　　　　（ピュー・リサーチ・センターによる、アメリカン
　　　　・トレンド委員会調査、2014 年）

97%　が、運転中のメールを禁じる法律が必要と考える。
　　　　（ニューヨークタイムズ／ CBS ニュース世論調査、
　　　　2009 年）

96%　が、小規模事業者に好感を持つ。
　　　　（ギャラップ調査、2016 年）

95%　が、雇用主は許可なくして従業員の DNA を照会す
　　　　べきではないと考える。
　　　　（タイム／ CNN ／ヤンケロヴィッチ・パートナー
　　　　ズ世論調査、1998 年）

95%　が、テロリズムに関わるマネーロンダリングを取り
　　　　締まる法律を支持。
　　　　（ABC ニュース／ワシントンポスト世論調査、

2001 年）

95% が、医師には免許が必要だと考える。

（プライベート・イニシアチブス＆パブリック・バ
リューズ、1981 年）

95% が、アメリカが侵略されたなら、開戦を支持するだ
ろう。

（ハリス・サーベイ、1971 年）

96% が結晶メタンフェタミン（いわゆる覚醒剤の一種）の
合法化に反対。

（CNN ／ ORC インターナショナル世論調査、2014
年）

95% が自分の友だちに満足している。

（AP 通信社／メディア・ジェネラル世論調査、
1984 年）

95% が、「それを飲めば外見が２倍魅力的になるが知性
が半分になる錠剤が手に入ったとして」も、それを
飲まないという。

（メンズヘルス・ワーク・サーベイ、2000 年）

98% が、監視員は読書したり電話で話したりせずに、泳
いでいる人を見守るべきだと考える。

（米国赤十字社　水の安全に関する世論調査、2013
年）

99% が、従業員が職場の高価な備品を盗むのは間違った
ことだと考える。

（ウォールストリート・ジャーナル／ NBC ニュー
ス世論調査、1995 年）

95% が、誰かに金を払って、期末レポートを代筆しても

らうのは間違いだと考える。

　（ウォールストリート・ジャーナル／NBC ニュース世論調査、1995 年）

98%　が、世界の飢餓の低減を願う。

　（ハリス・サーベイ、1983 年）

97%　が、テロリズムと暴力の減少を願う。

　（ハリス・サーベイ、1983 年）

98%　が、高失業率の是正を願う。

　（ハリス・サーベイ、1982 年）

97%　が、すべての戦争の終結を願う。

　（ハリス・サーベイ、1981 年）

95%　が、偏見の低減を願う。

　（ハリス・サーベイ、1977 年）

95%　が、マジック・エイト・ボール（占いに使うおもちゃのボール）が未来を予言できるとは信じない。

　（シェル世論調査、1998 年）

96%　が、オリンピックを素晴らしいスポーツ競技会と考える。

　（アトランタ・ジャーナル・コンスティテューション世論調査、1996 年）

　このリストをもとに、選挙公約が作成できる。たとえばあなたは飢餓、戦争、そしてテロリズムに断固として反対すればいい。また、友情と小規模事業者を支持し、運転中のメール使用に反対して戦うのもいい。また、医師免許が確実に適正に与えられるようにする法律を支持し、他国の侵略を絶対に許さないと主張してもいいだろう。

　一方、もしもこれ以上ないほどみじめに選挙で敗退した
いなら、このリストはなおいっそう好都合な戦術指南にな
り得る。それぞれの項目で逆の立場をとれば、あなたは政
治史上最も不人気な選挙運動を行なうことができるかもし
れないのだ。おそらくあなたは落選するだろうが、少なく
とも5人のボブ・ケイシーが指名された世界では、何が起
こるかわからないですよ！

「私への1票は、失業率の上昇、戦争、職場の盗難、そして運転中のメールへの1票です。私はまた、あらゆる市民の声が、この国のすべての映画館で聞かれるべきだと考えます。そして当選した暁には、オリンピックを完全に廃止します。

　私の政府は小規模事業者に対する増税を行ない、それによる税収の増加分を、国内のすべての監視員席にビデオゲーム端末を設置するために使います。私たちは結晶メタンフェタミンを製造販売し、その収益を使って、免許なしに医療を行なうすべての者に税額控除を行ないます。私たちはマネーロンダリングを行ないますが、それはただテロリズムを支援するだけのためです。私の政府ではすべての決定をマジック・エイト・ボールで行ないます。もしもわれわれの国が侵略されたなら、私は即座に降伏します。

　飢餓を愛するなら、私に1票を。自分の友人が嫌いなら、私に1票を。そして私に1票を投じてくださるなら、私は次のことをお約束します。あなたがたひとりひとり、外見は2倍魅力的になり、知性は半分になるでしょう」

第25章

ツリーを
飾るには

　アメリカの約4分の3の家庭が、クリスマスにツリーを飾る。

　2014年時点で、これらの家庭の3分の2が人工樹木を、3分の1の家庭が本物の生きた樹木を使っている。本物の樹木を使う人々の大多数は、クリスマスツリーを育てる業者から木を調達するが、伝統的な方法では——少なくとも20世紀中ごろの多数のクリスマス映画によれば——、ただ家から森まで歩いていき、森のなかで最適な木を見つけて、切り倒す。

　あなたがどこに住んでいるかによっては、近くに森が見つからないこともあるだろう。森林はやや不規則に、世界中に分布している。世界の森林の大半は赤道沿いと、極地に近い高緯度地方に集中している。赤道沿いと極地に森が分断されているのは、そのあいだの、北緯、南緯それぞれ30度付近に大規模な砂漠地帯があるからだ。あなたが北緯30度または南緯30度付近に住んでいて、まわりに森がまったくないなら、極地または赤道に向かって数千キロメ

（1）　これにはいくつか例外がある。メキシコ湾のアメリカの海岸には、砂漠があるはずの緯度であるにもかかわらず、豊かな森林がある。これは湾からの湿った暖かい空気のおかげだ。これはまた、この地域で竜巻が非常に多い理由でもある。

ートル歩いてみてほしい。

　森が見つかったなら——そのうえ地権者の許諾があれば申し分ない——、いよいよクリスマスツリーにする木を見つけよう。

「ふーむ」

　だが、どの木を切るかには注意が必要だ。

　1964年、ノースカロライナ大学の大学院生、ドナルド・カレーはネバダ州の氷河の歴史を研究していた。その10年前、別の科学者、エドマンド・シュルマンが、その近くで途方もなく古い木を何本か見つけた。ブリッスルコーンパインという種類の木で、シュルマンが調べてみると、樹齢は3000年から5000年だとわかった。知られているほかのどんな木よりも古い。

　シュルマンが発見した太古の木は、カリフォルニア州のホワイトマウンテンズと呼ばれる山脈に生えていた。ネバダ州の州境の上にブリッスルコーンパインを発見したカレーは、これらの木もやはり同じぐらい古いものではないかと考えた。彼は、これらの木の年齢を調べれば、自分が研

究している氷河や氷河期の歴史について何か新しいことがわかるかもしれないと考え、木の試料を収集しはじめた。もしもこの地域が過去に寒冷化して氷河が拡大していたなら、そのころ、木は山の高いところからは姿を消し、麓（ふもと）のほうにしか生えていなかったはずだ。もしほんとうにそうなら、その結果、山を覆う林の上端に生えている木の年齢は比較的若くなっているはずだった。彼は木の年齢が知りたくて、何本もの木から試料を収集した。

続いて何が起こったかについては、いくつか異なる説明が存在する。文学教授で登山家のマイケル・P・コーエンは、1998年に出版したグレートベースンに関する本のなかで、この事件の関係者らによる5つの異なる説明——それぞれ少しずつ内容が違う——を挙げている。

事件の核心については、どの説明も一致している。カレーはとりわけ古そうな木を1本見つけ（彼は知らなかったが、地元の博物学者たちはこの木を「プロメテウス」と呼んでいた）、正確な年齢を突き止めるために伐採する許可を森林局から取りつけた。幹の断面から年輪のわかる試料をいくつか切り取って、カレーがそのブリッスルコーンパインは少なくとも4844歳だったと特定すると、その木は知られている世界最古の木だということになった。

カレーの発見が公表されると、市民から激しい抗議が沸き起こり、このプロジェクトの関係者は全員、その後数十年間を、自分たちが世界最古の木を殺してしまった理由を説明して回ることに費やすはめになった。

「聞いてくれ、その木とぼくは生死を賭けた闘いで、
にっちもさっちもいかなくなったんだ。
生き残るのは、木かぼくか、だったんだ！」

　歴史の教訓は明らかだ。「木を切り倒す前に、それが世界最古の木ではないことを確かめよう。さもないと、人々は本気で怒りだす」というのがそれだ。

　プロメテウスの伐採以降、世界最古の木は「メトシェラ」（旧約聖書に登場する、ノアの祖父にあたる人物で、聖書全体で最も長寿だった）と名づけられた、別のブリッスルコーンパインになっている。メトシェラは 2019 年現在、少なくとも 4851 歳で、プロメテウスの記録を抜いたばかりということになる。

　木の年齢はコア試料を調べて決定されるので、その値は真の年齢の下限を決めるものでしかない。というのも、コア試料には木の最も若い部分が含まれていない可能性があるからだ。アリゾナ大学の研究者たちはプロメテウスの幹の切断試料をいくつか入手し、この木は伐採されたとき、ほぼ正確に 5000 歳だったと特定した。だとすると、この木は紀元前 3037 年ごろに……生まれた？……孵った？……発芽した？……生えはじめた？……ことになり、メトシェ

ラはその数十年後に生まれたことになる。ブリッスルコーンパインが生えはじめたとき、地球の反対側の人間たちは、知られている最初の文字をシュメールで作り出していた。[(2)]

　林業業界がこの「プロメテウス問題」を二度と繰り返してはならないと考えているのは言うまでもない。メトシェラには完全24時間警護がついているわけではないが、どの木がメトシェラなのか、その「居場所」はいまも文字通り秘匿されている。部外者による盗難や、あり得る模倣犯による被害を避けるためだ。

「ここにある木のうちの1本が、証人保護プログラムばりの保護下にあるって話だけど、どの木だかわからないよね」

　これらのブリッスルコーンパインが比類ない存在であるのは間違いないが、じつのところ、クリスマスツリーにはまったく向かないのだ。最高齢になるような木が生えているのは最も健康的で好適な環境だろうと、あなたは思われ

（2）　年輪年代学者故トム・ハーランが年代を特定したもう1本の木は、メトシェラやプロメテウスよりもほんのわずかだが、なおも古いかもしれない。しかし、この木の年齢については疑問の声があがっている──〈ロッキーマウンテン年輪研究所〉も、年齢を検証できるコア試料を採ることができていないほどなのだ。

るかもしれない。意外にも、真実はその逆だ。最高齢の木
は最善の環境ではなく、最悪の環境に生えていることが多
い。熱、低温、風、そして塩分などに曝されるような、特
に過酷な環境にあるとき、ブリッスルコーンパインは成長
のペースを遅くして、寿命をのばす。これらの最古の木は、
見た目はあまり素晴らしくはなかった——なかでも一番古
かった1本は、まるで枯れ木のような姿だった。樹皮と言
えば、細くて薄い皮がたった1枚幹の片側に残っているだ
けで、数本の枝がそこから伸びて、かろうじて命を保って
いた。これらの最古の生きている木は、不死身ではない—
—ただ、ゆっくりと死ぬ方法を見つけ出しただけなのだ。

　世界最高齢の木がクリスマスツリーにはまったく向かな
いなら、世界で最も背が高い木はどうだろう?

　アメリカ各地の町が、世界で最も高いクリスマスツリー
があるのはうちだと主張することがときどきある。ギネス
世界記録によると、現在その称号は1950年にシアトルの
ショッピングモールに立てられた、高さ67メートルのベ
イマツが保持しているという。もちろん、この手の一見些
細な記録がえてしてそうであるように、少し調べてみると、
最も高いクリスマスツリーについても激しい論争があった
ことがわかる。2013年、《ロサンゼルスタイムズ》紙が
掲載した各地の大きなクリスマスツリーについての記事の
なかで、林業事業主のジョン・イーガンが、シアトルの記
録をでっちあげだと糾弾していた。イーガンの主張によれ
ば、記録を保持しているシアトルのツリーは本物の木では
なく、数本の木を接ぎ合わせたものだという。イーガンは、
真の世界最高のクリスマスツリーは彼自身の企業が2007

年に立てた、高さ 41 メートルのツリーだと主張している
（同社のホームページによると、カリフォルニア州のヴァレーホ市
に納品したもの）。

　本当の記録保持ツリーがどれであったとしても、その記
録を塗り替えるのは至極簡単だと、イーガンは指摘する。
誰かがもっと大きな木を切ってクリスマスツリーにすれば、
それでいいのだ。そして、シアトルの公認ツリーにせよ、
イーガンが主張する真の世界最高ツリーにせよ、それより
高い木はいくらでも存在する。

「シアトルのノースゲート・モールと、
イーガン・エイカーズ林業との熾烈な争いを
解決する方法は、ひとつしかない。

共通の敵に対して、
団結するんだ」

　知られている世界で最も高い木は、「ハイペリオン」
（ハイペリオンはギリシア神話の神で、その名は「高みをゆくも
の」の意）というセコイアだ。2006 年に発見されたこの木
の高さは、116 メートルをわずかに切るくらいだ。[3] ブリッ

―――――――――――――――――――――――――――――――
（3）　そんな木の高さを、どうやって測ったのだろう？　GPS かレーザー
か何かを使ったのだろうと思われるかもしれないが、そうではない。研究
者が木に登り、巻き尺を地面まで垂らしただけである。

スルコーンパインは、「証人保護プログラムばりの」保護
下にある唯一の樹木ではなかった——危害が及ばないよう
に、ハイペリオンが生えている正確な場所は秘密にされて
いる——これほど高いものを隠すことができる限りにおい
てだが。

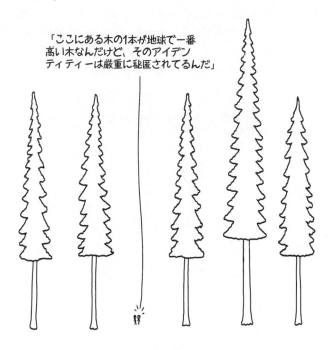

「ここにある木の1本が地球で一番
高い木なんだけど、そのアイデン
ティティーは厳重に秘匿されてるんだ」

　しかし、これと同じくらい高い木はたくさんある。ハイペリオンの測定結果が2006年に発表されるまでは、世界最高の木は高さ113メートルの「ストラトスフィア・ジャイアント」（「成層圏の巨人」の意）だった。ハイペリオンと同じ北カリフォルニアにあるセコイアだ。

　ハイペリオンの近くには同等の、高さ110メートルを超えるような木が何本かあり、そのどれをとっても同様に素晴らしいクリスマスツリーになるだろう。実際、世界で2番めに背の高い木をあなたが切ったとして、誰が怒るというのだ？

「世界で2番めに大きなダイヤモンドとなると、
盗むのなんてわけなかったよ」

ツリーを人々に見せびらかす

　あなたのツリーを、どこに立てるべきだろう？　家のなかには、おそらく入らないだろう。じつのところ、それが入るような建物はごくわずかしかない。

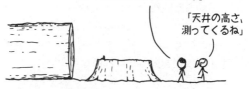

「これ、大きすぎてリビング
ルームには入らないかな?」

「天井の高さ、
測ってくるね」

　米国連邦議会議事堂(55メートル)も、最も高さがあるドーム型スタジアム(約80メートル)も、セコイアのクリスマスツリーを入れるには低すぎる。最大級の大聖堂の長いお堂にしても、身廊と呼ばれる信徒席のある部分でさえ高さは40〜50メートルほどなので、高さがまったく足りない。ハイペリオン級の高木は、バチカンにあるサン・ピエトロ大聖堂のドームならかろうじて立つだろうが、それもドームの頂上のランタン(西洋建築のドームや塔の頂上に作られる、採光や換気のための、窓などを多用した突出した構造)のなかに木の最上部をはめこむ以外不可能だ。

サン・ピエトロ大聖堂

　ベルリンの南東にあるドイツの街、ハルベには、かつての飛行船格納庫を改修した、ドーム型のトロピカル・テー

マパークがある（「トロピカル・アイランズ」と呼ばれている）。
そこには広々とした砂浜、熱帯雨林エリア、そして親水公
園エリアなどがある。残念ながらこの巨大ドームの天井は、
世界で最も高いセコイアを入れるには、高さが数メートル
足りない。それでもセコイアのクリスマスツリーを立てた
ければ、まず床に穴を掘らなければならない。

**トロピカル・アイランズ・リゾート
（かつてのエアリウム飛行船格納庫）**

　セコイアのクリスマスツリーを入れておける十分広い空
間がある建物はいくつか存在する。コートジボワールのヤ
ムスクロにある平和の聖母聖堂は、そのひとつである可能
性が高い。また、ドバイのブルジュ・アル・アラブ（高さ
約180メートル）や、北京の麗沢ソーホー(高さ約190 m)
などの、超高層ビルのアトリウム（吹き抜け）も候補であ
る。
　所有者が自分のクリスマスツリーを展示して世間に見せ
たいと思っても、ツリーを屋内に運び込むのは難しいだろ
う。なぜならこうしたビルのアトリウムには、ツリー搬入
に不可欠な大型扉がないからだ。

「オーケー、回転ドアの
タイミングに合わせれば
いいだけだよ。準備はいい?」

　おそらく、巨大なクリスマスツリーをディスプレーする
のに最適なのは、アメリカの南東部、フロリダの東海岸に
ある建物だろう。

セコイアの森林

ケネディー宇宙センター

　NASAはケープカナベラルに、アポロ・ロケットやスペ
ースシャトルの打ち上げ直前の準備をするための建物とし
て、組立棟を建設した。それは世界最大の容積を持つ建物
のひとつで、天井はあなたのクリスマスツリーを入れるの
にゆうゆう十分な高さがある。しかも重要なことだが、ツ

リーを搬入する入口がある——組立棟の扉は、世界で最も
高さがあるのだ。

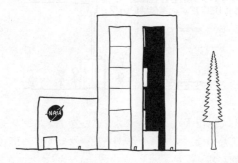

　ツリーをそこまで運ぶ最も簡単な方法は、おそらく船を
使うことだろう。ありがたいことに、パナマ運河は高さ
110メートルのセコイアが横たわった船が十分航行できる
だけの大きさがある。

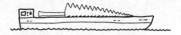

　NASAの組立棟が私たちのツリーを入れるのにぴったり
なのはなぜか、そのわけは簡単だ。アポロ宇宙船の乗組員
たちを月に運んだ、巨大なサターンV型ロケットを収納
できるよう設計されているのだが、このロケットは世界で
最も背が高いクリスマスツリーと、ほとんどぴったり同じ
大きさなのだ。

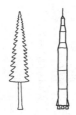

　燃料を満タンにすると、サターンⅤ型ロケットはハイペリオンくらいの大きさの木よりも、かなり重くなる。ロケットのエンジンはそれを離陸させることができるのだから、これをツリーに取りつけたら、ツリーも離陸できるだろう。

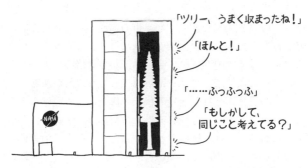

「ツリー、うまく収まったね！」

「ほんと！」

「……ふっふっふ」

「もしかして、
同じこと考えてる？」

　スペースシャトルのブースターロケットを左右に取りつけたなら、あなたのツリーを打ち上げるに余りある推力が出るだろう。

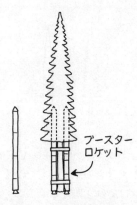

ブースター
ロケット

　ツリーそのものに、何らかの支えをつける必要があるか
もしれない。そもそも、ツリーは猛烈な上向きの加速を受
ける。世界で最も背の高い木であるセコイアは、何の問題
もない最良の状況であっても、重力に逆らって立っていな
ければならない。ロケットのように打ち上げられるならさ
らに何Gもの加速度がかかり、2倍から3倍の重力に曝さ
れることになって、ツリーは折れてしまう恐れがある。

　ツリーを下から押し上げる代わりに上に引き上げるよう
にすれば、ツリーには少し楽になるだろう。木材はほかの
多くの材料と同様、圧縮されているときよりも、引き伸ば
されているときのほうが強い。ブースターロケットを幹の
半分ぐらい上のところに取りつければ、下半分の木材はロ
ケットにぶらさがっている状態になって張力がかかり、一
方ツリーの上半分は、こちらだけが圧力を受けることにな
る。ツリーの周囲に支えをつくればよりツリーを安定させ
て、折れてしまうのを防ぐことができる。

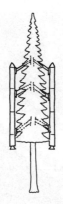

　ブースターロケットは、ツリーが軌道にとどまっていられるほど加速することはできないだろうが、ツリーは準軌道にはいる（打ち上げ後、宇宙空間には達するものの、地球周回軌道には乗らず、最終的に地表に落下する）ことはできると思われる。準軌道にはいれば、ツリーは、最大のクリスマスツリーがあるのは自分のところだと主張している、すべての町の上を通過することができるはずだ。

　おまけに、あなたのクリスマスツリーは、本物の恒星で飾られるだろう。

高速道路を
作るには

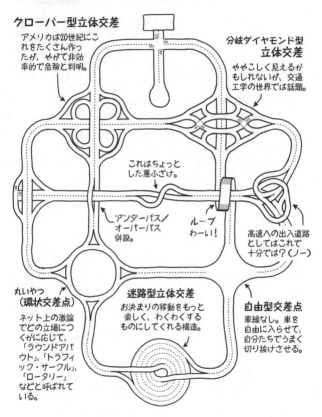

クローバー型立体交差

アメリカは20世紀にこれをたくさん作ったが、やがて非効率的で危険と判明。

分岐ダイヤモンド型立体交差

ややこしく見えるかもしれないが、交通工学の世界では話題。

これはちょっとした悪ふざけ。

アンダーパス／オーバーパス併設。

ループ
わーい！

高速への出入道路としてはこれで十分では？（ノー）

丸いやつ
（環状交差点）

ネット上の激論でどの立場につくかに応じて、「ラウンドアバウト」「トラフィック・サークル」「ロータリー」などと呼ばれている。

迷路型立体交差

お決まりの移動をもっと楽しく、わくわくするものにしてくれる構造。

自由型交差点

車線なし。車を自由に入らせて、自分たちでうまく切り抜けさせる。

第26章

どこかに速く 到着するには

世界を歩き回るのは、結構ややこしいことかもしれない。

「このナビゲーション・アプリによると、連係した特定の動きをきっちり、しかも順番どおりに体にさせないと、前に進めないらしい」

あなたの現在地と目的地によっては、だいたいまっすぐに進めばすんなり目的地に着く場合もあれば、大きな回り道をして、時間をかけて進まなければならないこともある。移動には驚くほどさまざまな問題——ドアを通って出入りすることから、空港の保安検査を通過する、ラッシュアワーの道路で車を運転する、あるいは軌道から軌道へと移るためのロケットエンジンの操作を計画するなど複雑なことまで——の解決が必要なこともある。

だがいずれにせよ、目的地への移動には、あなた自身をそこに向かって加速することが不可欠だ。この加速が、あなたがいかに素早く目的地に到達できるかに根本的な制約を課す。

　あなたが地点A——たとえばあなたの家の前——から地点B——たとえば予約した病院——まで、完全に理想的な状況のもとで移動しようとしているとしよう。障害物、ドア、「止まれ」の道路標識はまったくなく、あなたは無限の燃料が入った魔法のスクーターを持っているとする。さて、あなたは地点Aから地点Bまで、どれだけ速く移動できるだろう？

地点A

地点B

　地球上のすべてのものは、重力に引かれて、下向きに9.8メートル毎秒毎秒、すなわち1Gで加速している。あなたが乗り物に乗って前へ加速するときも、重力によって下へと引かれているので、あなたは乗り物から受ける水平方向の推進力による加速と、重力による下向きの引力による加速を合わせたものを受けている。

（訳注：右の人物が手にしているのは、重力加速度測定によく使われる単振り子）

　乗り物の加速度がごく小さいとき、あなたが受ける加速

度の合計は約1Gだ。乗り物の加速度が0.1Gなら、受ける加速度の合計は約1.005Gにすぎないが、乗り物の加速度が水平方向に1Gだったとすると、あなたが受ける加速度の合計は1.41Gになる——まるで急に体重が41％も増えたように感じるだろう。

　人間の移動手段では、徒歩からエレベータ、自動車、そして飛行機に至るまで、普通水平方向の加速度は1G以下だが、それにはいくつか理由がある。ひとつ大きな理由は、人間は1Gの加速度を受けながら進化したので、それより大きな加速度を長時間感じると不快なのだ。もうひとつの理由は、乗り物の多くは地面を押すことで加速するので、水平方向の加速が重力による下向きの加速よりも大きいと、乗り物の車輪が空回りしてしまうのである。[(1)]

「この煙と騒音。アクション映画からすると、もうすぐめっちゃスピードが出るんだぜ」

「あ、そう。でももう何分もそうやってるじゃない」

キーッ

（1）　非常に速いスポーツカーは約1Gで加速するが、それには特殊なハイグリップ・タイヤが必要だ。

　あなたの魔法のスクーターは、加速度の上限が 1G に制限されているとしよう。現実の乗り物はこれ以上に加速できることもあるが、それらは概してロケットやローラーコースターなどの特殊な乗り物で、また、そのような加速度はごく短時間しか続かない。私たちの考えているのが一般市民が移動に使えるシステムならば、1G のスクーターはまがりなりにも人間の快適さと安全を保ちながら何が可能かを示す、良いモデルになるだろう。戦闘機のパイロットは、緊急脱出シートの急激な加速にかすり傷程度に耐えることができるかもしれないが、あなたはそれを移動手段の一環とはしないほうがいいだろう。

　あなたはスクーターに飛び乗り、時計を見る。予約した病院は 500 メートル先で、予約の時間は 10 秒後に迫っている。間に合うだろうか？　あなたはエンジンの出力を上げ、病院に向かって加速する。

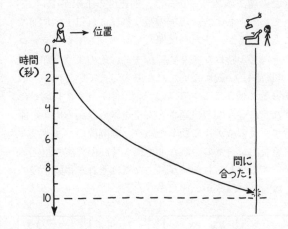

嬉しいことに、あなたは何ミリ秒も前に到着できる。だが困ったことに、あなたは時速 320 キロメートルを超えるスピードで到着する。

「私は健康ですかわかりましたありがとうございますさようなら」

あなたの担当医が異常な短時間受診を厭わないのでなければ、病院に近づきながら、少し減速しなければならないだろう。だがそうすれば、移動の総時間が長くなるのは避

けられない。あなたがどれぐらい素早く減速できるかには
限度がある。一般に、停止は始動より簡単だ——スクータ
ーから自動車、地上走行中の飛行機まで、事実上すべての
陸上走行車両でブレーキは推進装置よりもはるかに強力だ
——が、突然の停止は急激な加速と同じくらい、乗ってい
る人間に多くの問題をもたらす。

　病院までの道のりの前半を 1G で加速し、後半を 1G で
減速するとして、病院に着くのに 15 秒近くかかってしま
う。予約の 10 秒前に出発するなら、あなたは予約に間に
合わない。

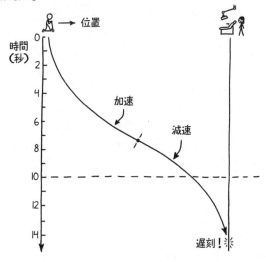

　私たちの魔法のスクーターが直面する限界は、動く歩道
から超特急列車、そして未来の超高速真空チューブ交通シ
ステムまで、あらゆる移動システムに当てはまる。なぜな

らこの限界は、人間の生物としての機能に由来するからだ。静止している場所から 500 メートル離れた目的地まで、水平方向に 1G 以上の加速をすることなしに、人間を 10 秒以内に運ぶことは、どんな移動システムにも決してできないだろう。

1Gで加速するときの基本移動半径 $\left(距離＝\dfrac{1}{2}G\,(時間)^2\right)$

```
        1秒├──◖──┤
        5メートル  5メートル
5秒
├──── 120メートル ──── ◖ ──── 120メートル ────┤

10秒
├┄─── 500メートル ──── ◖ ──── 500メートル ───┄┤
```

　予約した病院がもっと遠かったらどうなるだろう？　あなたのスクーターは、どれぐらい速くあなたをそこへ運んでくれるだろう？

　1G で連続して加速すると、スピードは急激に高まる。あなたが 1G の加速で 1 分間移動したとする――30 秒間加速したあと、次の 30 秒間で減速する、というやり方で。するとあなたは、9 キロメートル以上移動することができる。あなたが中間地点で到達するピーク速度は、音速にかなり近くなる。

　現実の列車は音速に近い速度で走行したりしないが、それは物理学の本質的な制約によるものではない。レール上の台車は、電磁推進またはロケットによって容易に超高速まで加速できる。たとえば、ニューメキシコ州のホロマン空軍基地でレールの上を走っているロケット・スレッド
（橇状の乗り物をロケット推進によりレール上で走行させるもの）

は、これまでにマッハ 8 の速度を出したことがある。これ
は音速の 8 倍の速さで、どんなジェット機よりも速い。こ
のような速度に到達するために、スレッドは 1G よりもは
るかに速く加速する——そして、それほど急激に加速して
も、16 キロメートル近い長さのテスト軌道が必要なのだ。

　音速近いスピードでは、空気抵抗は避けられない問題に
なる——乗り物が、そんなに多くのエネルギーを浪費しな
がら空気をかきわけつつ、効率的に走るのは難しい。最も
速い乗り物が、空気が希薄な高空や、真空チューブのなか
を走ったり飛んだりするのはこのためだ。あなたの魔法の
スクーターは加速度に制限があるので、このような問題に
は直面しないが、それでも丈夫な保護風防はほしいところ
だ（またソニックブームが発生するかもしれないので、道
端にいる人たちにあやまったほうがいいかもしれない）

　（ソニックブームとは、超音速航空機などの速度が音速を超えたと
きに発生する衝撃波に伴う轟音のこと）。

　1G スクーターは、5 分であなたを 441 キロメートル運び、

マッハ 8 を超えるスピードに達する。10 分では 1764 キロ
メートル移動でき、速度はマッハ 16 に達する。そして 48
分間で、あなたは世界を 1 周できる。これが世界旅行の基⁽²⁾
本的な限界だ――世界のどこへでも 48 分を切る時間で
人々を運ぶ交通システムを構築したいなら、1G を超える
加速度（もしくは、地球を貫く穴を開けるか）が必要にな
ってしまう。

1G で宇宙旅行する

　このような基本的な加速の限界は、地球の乗り物とまっ
たく同様に宇宙船にも当てはまる。あなたの魔法のスクー
ターに必要な装備を施し、大気圏を離れて宇宙を旅するこ
とができるようにしたとしよう。まずは 1G で加速して、
次にちょうど真ん中まで進んだところで 1G で減速する、
というやり方で月に行くとすると、月に到着するのに 4 時
間近くかかるだろう。

　月に行くのに 4 時間もかかるという制約があるとすると、
未来について、ある興味深い予測ができる。宇宙エレベー

（2）　あなたの実際の移動時間を計算するには、もう少し複雑な事情を考
慮しなければならない。なぜなら、この速度では地球の湾曲が大きく影響
するからだ。あなたの速度は途中で非常に速くなり、地面との接触を失っ
てしまう。この状態でレールに留まろうとすると（あるいは天井を走るな
ら）、限界を超える求心力がかかってしまう。しかし、この湾曲のおかげで
あなたは出発の直後と到着の直前に、より大きく加速できる。なぜなら、
遠心力が重力の影響を打ち消してくれるので、1.41G（訳注：この章の冒
頭で出てきたように、重力加速度 1G と水平方向の加速度 1G の合計は
1.41G になる）の限界以下にとどまりながら、前方に加速できる余裕がで
きるからである。

タや安価な宇宙旅行が実現した世界でも、地球に住む大勢の人間は、おそらく毎日月に通勤したりはしないだろう——あるいは月に住む人々は、毎日地球に通勤したりしないだろう——加速という単純な理由のために。片道4時間は、通勤としては非常に長い。

毎日の月への通勤

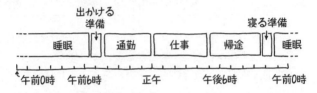

目的地がもっと遠いとき

あなたの1Gスクーターで火星より内側にある太陽系の惑星のどれかに行くには数日かかり、木星まで行くには1週間かかる。そして、土星に行くには9日かかる。

（訳注：フォートナイト〔fortnight〕は「2週間」を意味するイギリス英語）

　もっと遠くの、天王星や海王星までは2週間かかり、さらに遠方のカイパー・ベルト（海王星の外側にある、小さな多数の天体が密集した領域で、巨大なリング状になって太陽の周囲を回転している）の天体に到達するには数カ月かかる。

　そこから先、話は妙なことになってくる。

80年間宇宙一周

　宇宙船を1Gで長期間加速しつづけられるような技術は、現在まったく存在しない。そんなことは不可能だとする原理や法則は物理学にはないが、実際にそうする具体的な手段を思いついた人はいない。私たちが知っている限りでは、宇宙船に搭載できるほど小さく、かつ宇宙船を長期間加速できるようなエネルギー源は存在しない。だが、これを実現できる方法を発見できたなら、宇宙全体が私たちに開かれるだろう——相対性理論による、驚くべき後押しのおかげで。もしも1Gで数年間加速しつづけたなら、あなたは宇宙のなかの、ほとんどすべての目的地に到達できるのだ。

　1Gで加速すると、あなたの速度は1秒ごとに秒速9.8メートルずつ増加する。簡単な掛け算でわかるように、1年後あなたは、秒速3億900万メートルで飛んでいるだろう……これは光速の103%に当たる速度だ。相対性理論では私たちは光より速く運動することはできないとされているので、光速の103%というのは実際にはあり得ない——光速にいくらでも近づくことはできるが、光速に到達することはできない。しかし、飛んでいるあなたの前に現れて、あなたに加速をやめさせるような宇宙警官なんて、どこに

もいない。では、いったいあなたにはどんなことが起こる
だろう？

　妙な話だが、あなたのスクーターが光速に近づいても、
あなたにしてみれば、何も起こらない。加速しつづけるだ
けだ。だが、周囲の宇宙に目を向けると、何か奇妙なこと
になっていると、あなたは気づくだろう。

　速度が増すにつれて、あなたのスクーターに乗っている
ものはすべて、時間の経過が遅くなる。外側にいる観察者
から見ると、あなたのスクーターはゆっくりと時を刻む時
計と、思考がのろくなった脳とを載せて、あっというまに
通り過ぎる。あなたから見ると、旅の途中にある、あなた
が知っている天体が、思ったより短い時間で次々と現れる
──まるで、あなたが進んでいる方向に宇宙が縮んでいる
かのように。

　スクーターに乗ったあなたにとって1年が過ぎたころ、
あなたの速度は光速の3/4に達しているだろう。だが、相
対性理論により、外の世界では1年2ヵ月が過ぎているだ
ろう。またあなたの宇宙船スクーターは、あなたが思って
いた以上に遠くまで来ているだろう。

　あなたのスクーター上での時間と外界の時間のずれは、
どんどん大きくなる。スクーターに乗って1.5年が経過し
たころ、あなたはほぼ1.5光年進んでいるだろう。光がそ
のあいだに進んだ距離とほぼ同じだ。あなたにとって2年
が過ぎたころ、あなたは2光年以上進んでいるだろう──
まるで光よりも速く進んできたかのように！

　宇宙船スクーター上で2、3年経つと、相対性理論の効果が積み重なってくる。あなたにとって3年が過ぎたころ、宇宙船スクーターの外では10年と少しの歳月が過ぎており、あなたはすでに10光年近く進んでいる——太陽系に近い恒星の多くに到達するのに十分な距離だ。もしも宇宙に里程標のようなものがあって、あなたが進んだ距離を教えてくれるなら、あなたが里程標に出会うペースはどんどん速くなり、里程標の間隔がどんどん詰まってきたように感じるだろう。あるいは、自分が光よりもはるかに速く進んでいるような気がするだろう。だが、外にいる観察者から見れば、あなたは光速よりわずかに遅い速度で飛行しており、宇宙船スクーターに乗っているものはすべて、時間が止まってしまっているように見えるだろう。

　4年間宇宙船スクーターに乗れば30光年の距離を進み、速度は光速の99.95％になっているだろう。5年後、あな

たは出発点から80光年離れており、10年後になると、あなたが進んだ距離は1万5000光年に達しており、天の川銀河の中心までの、ちょうど半分あたりのところにいるだろう。なおも加速を続けるなら、あなたの時間で測って20年以内に、隣の銀河に到達するだろう。

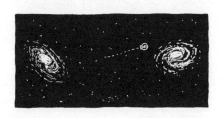

あなたが20年と少しのあいだ加速ボタンを押しつづけるとすると、そのころあなたのスクーターは、あなたの主観的な時間で（スクーターの系で測った時間で）毎「年」数十億光年進んでおり、観察可能な宇宙のかなりの範囲をすでに横切っている。

観察可能な
宇宙の端→

地球　　　あなた

そのあいだに、地球では数十億年が経過しているだろう──だからあなたは、帰りのことを気に病む必要はない。どのみちそのころには膨張する太陽によって、地球はもう飲み込まれているだろうから。

だがあなたは、最も遠い銀河には決して到達しないだろう。宇宙は膨張しており、ダークエネルギーのおかげで、膨張は加速しているようだから。

光速に近いスピードで旅していると、あなたは年を取らないかもしれないが、それ以外の宇宙は、あなたの周囲で年を取りつづける。ほぼ光速で10億光年進むとすると、

あなたが停止したとき、宇宙では出発時から10億年が経
過しているだろう。そして宇宙は時間の経過とともに膨張
しているので、あなたが目的地に向かって旅をしているあ
いだに、宇宙はその目的地を、あなたから遠ざけてしまっ
ているだろう。

　宇宙の膨張は加速しているので、あなたがどれだけ遠く
まで行こうが、決して辿り着くことのできない部分が宇宙
にはある。現在の膨張宇宙のモデルからは、この限界――
宇宙の「事象の地平面」と呼ばれている――はおそらく、
観察可能な宇宙の端までの、3分の1ぐらいのところにあ
ると考えられる。

ハッブル宇宙望遠鏡は、一見空っぽのように思える領域
に注目し、拡大写真を多数撮影しているが、そうした写真
には、遠方にある暗くてぼんやりとした銀河の広がりが、
いくつも写っている。そのうち、比較的大きく明るい銀河
は私たちの事象の地平面の内側にあるので、宇宙船スクー
ターでいつかは到達できる可能性があるが、そうでない大
多数の銀河は、事象の地平面という限界の向こう側にある。
あなたがどんなに勢いよく加速したとしても、宇宙の膨張
によって、それらの銀河はなおいっそう遠くへ運ばれてし

まうだろう。

　あなたがなおも加速ボタンを押した状態に保って、これ
らの到達不可能な銀河を追いつづけたとしても、銀河はま
すます遠くなるばかりだろう——だが、あなた自身はなお
も加速しながら前に突進しつづけるだろう。30年後、宇
宙は10兆歳になっており、もはや極めて小さく極めて暗
い高齢の恒星だけしか残っていないだろう。40年後はこ
れらの恒星すら燃え尽きており、あなた自身は暗く冷たい
宇宙のなかにいて、ときおり、死んでしまって冷え切った
恒星の残骸どうしがぶつかって一瞬閃光が見えるだけだろ
う。

　どんなに速く進もうが、あなたが宇宙の端に達すること
はなさそうだ。しかし、宇宙の終わりには辿り着くだろう。

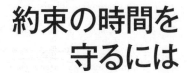

第27章

約束の時間を
守るには

どこかに早く着く方法はふたつある。速いスピードで移動するか、早く出発するかだ。

選択肢

1 速く移動する

2 早く出発する

より速く移動する方法を知るには、第26章「どこかに速く到着するには」を読んでいただきたい。

早く出発するのは、もっと難しい。それには、誠意と現実的な計画が必要だ。これらの点で向上したいかたは、たぶんほかの本を探したほうがいいだろう。

早く出発するのも速いスピードで移動するのも、自分には絶対に無理、やれやれお手上げだ、と、あなたは思われるかもしれない。だが、じつのところ、あなたにはもうひとつ選択肢がある。「時間の流れを変える」というのがそれだ。

選択肢

1 ~~速く移動する~~

2 ~~早く出発する~~

③ 時間の流れを
　変える

　このアプローチはそれほど非現実的ではない。空間内での電磁波の運動について研究していたアインシュタインは、マクスウェルの方程式にしたがえば、どんな観察者から見ても電磁波が静止して見えることは決してないのだと気づき、じつに妙だと思った。この方程式に従うなら、あなたが光の波（光は電磁波の一種）に追いついてそれが凍りついたように静止して見えることはあり得ない、あなたの速度がどんなに速かろうが、あなたを通り過ぎる光の速度——一定の「時間」に通過する「距離」で定義される——は常に同じ値だ、ということになる。このことからアインシュタインは、私たちが使っている「時間」や「距離」の概念には何か問題があるに違いないと気づいた。その結果彼は、時間の流れの速さが観察者の運動の速度に依存しており、観察者ごとに異なることを説明する理論を構築した。

　時間についてあれこれ考えることで、アインシュタインは不朽の名声と、ノーベル賞を獲得した[1]のだから、あなたも時間について考えれば、約束の時間までに目的地に着ける方法がわかるかもしれないじゃないか（そうでなかったとしても、ひょっとしたらノーベル賞がもらえて、十分慰

めになるかもしれない)。

「われわれスウェーデン
王室は、あなたが約束の
時間に遅れ、残念です」

「これがノーベル賞です」

「ありがとうございます」

「時間の流れを変える」のに、複雑なことは必ずしも必要
ではない。最も簡単な方法は、みんなに頼んで、時計を調
整してもらうことだ。サマータイム制度のおかげで、私た
ちはすでにこれを年2回やっている。つまるところ、時計
が表す時間は、社会的に作られた概念でしかない。みんな
に時計の時刻を1時間戻すことに同意してもらえれば、時
間は変化し、あなたが目的地に行くのに1時間余裕ができ
る可能性がある。
　標準時間帯は正式で永続的なものという感じがするが、

---

(1)　ノーベル委員会は、実際には時空に関する研究でアインシュタイン
にノーベル賞を与えたのではない。理由のひとつは、当時彼の相対性理論
はまだ革命的なもので、十分検証されていないと考えられていたことにあ
る。都合のいいことに、アインシュタインは 1905 年に、そのどれをとっ
てもノーベル賞に値するような論文を4件も発表していた。そこで委員会
は、そのうち比較的伝統的な内容だと思えた論文をひとつ選んで、受賞理
由とした(訳注:アインシュタインは、光量子概念により光電効果を理論
的に説明した 1905 年の論文によって、1921 年にノーベル物理学賞を受賞)。

意外に恣意的なものだ。複数の標準時間帯どうしの境界を
定める国際組織など存在しない。それどころかどの国も、
自国の時間を好きなときに、好きなように設定する権限を
持っている。ある国の政府が、ある朝目覚めて、国内のす
べての時計を5時間遅らせることに決めたなら、誰もそれ
を阻止できない。

　国が十分な警告なしに時間の流れに手を加えようとする
と、いろいろと深刻な問題が生じかねない。2016年3月、
アゼルバイジャン政府は開始予定の10日前になって、サ
マータイムの実施を見送ることに決定した。ソフトウェア
会社はあわててアップデートを配信し、さまざまなスケジ
ュールは修正を余儀なくされ、航空会社は飛行機の出発時
間をチケットに記載された時間にするのか、1時間早める
のか決めなければならなかった。ヘイダル・アリエフ国際
空港は、出発時刻の3時間前には空港に入るよう利用者に
告知した。

　普通、時計を進めたり遅らせたりするとき、国は10日
よりもっと余裕を持たせて、早めに通知するものだが、こ
れはじつは必要のないことだ。理屈のうえでは、約束の時
間に遅れそうになったら、あなたは政府に連絡して時計を
遅らせるように頼むことができる。

「もしもし、政府ですか？　私は打ち合わせに遅れ
そうになっている一市民です──これを解決するには、
どなたにお話しすればいいでしょうか？」

　アメリカ合衆国では、サマータイムを実施するかどうか
は州政府が決定できるが、開始時期と終了時期は州政府に
は決められない。1時間の余裕を得るためには、あなたは
連邦政府に連絡しなければならない。
　現在連邦法では、9つの標準時間帯を定め、それぞれの
時間を協定世界時、略してUTC──フランス語表記の頭
字語──に関連づけて決定している。UTCは、国際度量
衡局が定める国際標準時だ（グリニッジ標準時に代わる国際標
準時で、原子時計で計測される）。連邦議会はこの法律を変え
ることができるが、あなたの時計を調整するのに、議会を
通す必要はない。運輸長官には、地域をある標準時間帯か
ら別の標準時間帯に独断で移す権限が法律により与えられ
ている。あなたがアメリカ合衆国の本土にいるなら、運輸
省に電話をして礼節を尽くしてお願いするだけで、最大8
時間まで時計を進めたり遅らせたりすることができる可能
性がある。

「もしもし、運輸省ですか？　あなたがたのお仕事には、いつも感謝しております。私は昔から、場所から場所へと移動するもののファンなんですよ。

あの、ひとつお願いがあるんですが」

　だが、運輸長官には、新しい標準時間帯を作ることはできない。あなたが9つの標準時間帯とは違うものに時間を変えたいのなら、連邦議会を経なければならないだろう。しかし彼らを説得できたなら、あなたの望むとおりに時間を設定することができる。実際、理屈のうえでは、「日付」も望みどおりに設定できるだろう。あなたの家、町、あるいはコミュニティー全体を、24時間進めることもできるはずだ——あるいは6500万年戻すことも。

「春は進めて、……
秋はうーーーんと戻す」

（訳注：「春は進めて、秋は戻す（spring forward, fall back）」は、サマータイムの開始と終了の際に時計をどう調整するかを忘れないようにするための標語のようなもの）

　2010年、アメリカのキリスト教ラジオパーソナリティー、ハロルド・キャンピングは、世界の終末は2011年5月21日午後6時ちょうどに、携挙（キリスト教のプロテスタントの諸派で信じられている、世界の終末にキリストが再臨し、すべてのキリスト教徒を天に召し上げて救うこと）と同時に始まると予言した。世界の終末は地方時にしたがって起こり、それは日付変更線のすぐ西側の太平洋に浮かぶ島国、キリバス共和国から始まり、西に向かって標準時間帯ごとに地球を1周するはずだった。

　未来のある日に世界が終わるかどうかを確かめたいという国があったなら、簡単な方法がある。その国は国の時計を、たとえば3019年1月1日の正午まで進める法律を制定して、施行後、周囲を見回せばいいのだ。もしも何も起こらなかったら時計を戻して、今後1000年間は安全だ――少なくとも、地方時で起こる世界の終末はまだ来ない――と、誰もが当面安心して暮らせるだろう。

あなたのために時計をずらすよう政府を説得できなかった場合、あるいはあなたの約束の時刻が UTC で決まっている場合は、あなたに打つ手はない。UTC そのものを変えられない限り、あなたは約束に間に合うためのゆとりの時間を作ることはできない。

原子時計

UTC は多数の正確な原子時計のネットワークに基づいている。原子時計は光（特定の波長のマイクロ波）を使ってセシウム原子の振動を正確に測定することにより、時間の経過を測定している。だが、アインシュタインのおかげで、時間の経過は一定ではないことが知られている。強力な重力場のなかでは、光は――そして時間そのものも――速度が遅くなる。もしもあなたが原子時計の隣に巨大な球形の錘を置いたとすると、それによって重力が増し、時計の刻みは遅くなるだろう。

あいにくだが、あなたは原子時計を１個いじるだけでは済まない。国際度量衡局は世界中に分布する数百個の原子時計の計測値を使い、それらの値を平均することにより、唯一の世界標準時を作り出す。あなたが人為的に時間を変えたいなら、これらの時計をすべて遅らせなければならない。１個だけを細工したとすると、どの時計の値がずれているか、すぐにばれてしまう。

直径 30 センチの鉛の球をバックパックに入れて、すべての原子時計施設にこっそり持ち込み、時計のそばに置いたとしよう（球は１個当たり約 170 キログラムになるので、

相当な力が必要だ)。

「こんにちは。私は……
ふう
……見学のために来ました」

「バックパックのなかは何ですか？」

「ただの
ふう
お弁当ですよ」

　鉛の球を原子時計の心臓部、時間の基準になる元素のすぐそばに隠すことができたとしても、時計は約 10^{24} 分の1──40 億年間に 100 ナノ秒の割合──遅れるだけに過ぎない。

　直径 200 メートルの鉛の球を置いたとしても、時計は100 年に 1 ナノ秒遅れるだけで、効果はさして変わらない。そのうえそんな球を製作して移動させるのは困難だし……、おまけに、隠すのは至難の業だ。

「すぐに見つかると思うんだけど」

「携帯電話の
中継局みたいに、
偽の枝をたくさん
つけたら
どうかなぁ？」

BIPM

（国際度量衡局）

　UTC が原子時計に基づいており、原子時計を操作する
ことができないとすると、あなたは UTC を操作すること
はできないように思える。だが、UTC は完全に原子時計
に基づいているわけではなく、ある不規則さを持っている
ので、それを利用できればあなたは約束の場所に行く時間
に余裕ができるかもしれない…それどころか、もしもきっ
かりの時間に出発すると、早く着きすぎるかもしれないの
だ。

1日の長さを変える

　私たちの原子時計は、地球の自転よりも正確で規則的だ。
かつて私たちは地球の回転に基づいて秒を定義していたが、
歳月の経過にともなって長さが変化するような秒は、物理
学、工学、そして時間管理全般にとって、不便極まりない。
そこで 1967 年、秒の長さは原子時計に基づいて正式に定
義され、以後秒は原子時計の周波数に固定されることにな

った。1 日は 24 時間、すなわち 8 万 6400 秒のはずだが、2010 年代の後半、地球は平均で約 86400.001 秒かかって、太陽を中心に 1 周している。別の言い方をすれば、地球は 1 ミリ秒遅すぎるのだ。この 1 日当たり 1 ミリ秒の余計な時間は徐々に積み重なってくる。1000 年ほど経つと、誤差のない時計は太陽に対して丸 1 秒ずれてしまう。

　現時点では、1 日は 2、3 ミリ秒長すぎるだけかもしれないが、この状態はいつまでも続かない。月のおかげで、地球の回転は遅くなりつつあるのだ。

　月の引力は地球の近い側には強く働き、遠い側にはそれほど強く働かない。地球が自転すると水が（と同時に、それほどではないが陸も）少しバシャバシャと動き回り、力の変化に対処するが、私たちはこれを潮汐力として経験する。地球の自転は月の公転よりも速く、またバシャバシャ動く水と月のあいだの重力は、重力に由来するわずかな「抵抗力」を月と地球のあいだに生む。この抵抗力には、月を外側に引く——つまり月をより大きな軌道へと投げ出す——と同時に、地球の自転を遅くする効果がある。[2]

（2）　少なくとも、地球の自転は遅くなっているはずだ。地球の自転は長いあいだにわたって一貫して遅くなりつつあるが、ここ数十年は、地球の自転は実際に速まっている。1972 年ごろから——偶然ながら、私たちがうるう秒を加えはじめてから——、地球が 1 度自転するためにかかる時間は数ミリ秒短くなっている。その原因は、地球の外核（高温の液体と考えられている）内部で生じる予測不可能な乱流にある可能性もあるが、確かなことは誰にもわからない。これはそれほど異常なことではない——地球はこの 2、300 年で何度も、自転が速まったり遅くなったりしている——し、またそれがこの先いつまでも続く可能性は低い。しかし、地球の自転が速まっているのに、その理由を誰も知らないのは、やはり少し妙だ。

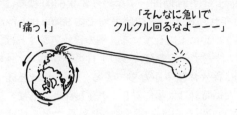

「痛っ！」

「そんなに急いで
クルクル回るなよーーー」

月の潮汐力の科学的説明

うるう秒

UTC には標準時間帯もサマータイム制度もないが、地球の回転との同期がずれないようにときどき——ごくわずかにだが——調整されている。「うるう秒」を加えるというのがその方法である。

うるう秒は、国際地球回転・基準系事業という国際機関（国際天文学連合と国際測地学・地球物理学連合によって設立された）によって加えられる。この組織は地球の回転を注意深く見守り、次のうるう秒をいつ加えるかを決定する役割を担っている。うるう秒はある月——普通は 6 月または 12 月——の最後の日の、真夜中の直前に加えられる。具体的には、午後 11 時 59 分 59 秒と、翌日の午前 0 時 0 分 0 秒とのあいだに挿入され、午後 11 時 59 分 60 秒と表示される。

（訳注：日本の慣習では「12：00：00ᴬᴹ」でなく
「0：00：00ᴬᴹ」という表示になる）

　うるう秒が挿入されると、その日以降に予定されている
ことはすべて、1秒先送りされる。あなたの約束が1、2
カ月以上先なら、うるう秒が数秒必要だと国際地球回転・
基準系事業を説得すれば、追加の数秒を獲得できるかもし
れない。
　さらに多くのうるう秒を得るには、地球の自転を今より
もっと急激に減速させなければならない。

　質量が赤道から南極または北極に移動するときはいつも、
地球の自転は加速する。南北の極と赤道のあいだの毎日の

気流のせいで地球の自転速度は揺らいでおり、また、より長期的には気象の周期変化による質量の再配分、氷床の融解、そして氷河期のあとの反動などの影響が、それぞれ独自の影響を及ぼす。

したがって、あなたが熱帯または温帯に住んでいるなら、一方の極まで歩いて行くだけで地球の自転を加速し、極から赤道まで歩いて帰ることによって地球の自転を減速できることになる。

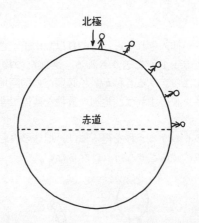

この効果はあまり大きなものではない。北極から赤道までひとりの人間が移動しても、1日は、10000000000000000000000分の1しか長くならない。この増加分が積算して1ナノ秒になるだけでも100万年かかる。あなたが次の1年間が1うるう秒長くなってほしいなら、60兆トンのものを南北の極から赤道へと移動しなければならないだろう。

　金など密度の高い物質を使ったとしても、3000 立方キロメートルを超える体積になる——赤道を厚さ 50 メートル、高さ 1.5 キロメートルの金でくるりと巻くのに十分な量だ。これは明らかに不可能だ……

ただし……

　ただし、高価な品物を無限に生み出し、それらのものをあり得ない効率で北極から世界中に配布できる魔法の能力を持つ、北極にいるはずの「不思議な存在」を探し出すことができれば、それも可能だろう。

「それで、クリスマスには
何をお望みかな、おちびさん？」

「地球を取り巻く、高さ1.5キロ
の金のかべがほしいの」

……

「ラジコンカーは
どうじゃ？」

第28章

この本を
処分するには

　あなたがこの本を読み終え、捨てることにしたなら、最も簡単なのは、ほかの人に譲ることだ。

楽しく
本書を安全に処分して
いただくための方法

　だが、あなたはこれを人には譲りたくないと思っているかもしれない。余白にいろいろメモを書いてしまい、それを他人に見られたくないのかもしれない。本がまったくつまらなくて、人にあげる気もしないのかもしれない。あるいは、本書の情報を使って超悪玉的陰謀を計画したいので、本書をすべて買い占めて破棄し、同じ本を使って、あなたの上手を行く人が出てこないようにしたいのかもしれない。[1]

　どんな理由にせよ、あなたが本書もしくはほかの任意の本を永久に処分する決心をしたなら、使える方法をいくつ

（1）　「編集者のコメント──出版された本書をすべて購入したいとお考えのかたは、リヴァーヘッド社営業業部にご連絡ください」

かここにご紹介しよう。

空中処分

　いざというとき、本書はエネルギー源にもなる。本書の総ページに含まれる化学エネルギーは約 8 メガジュールになるが、これはそもそも植物の葉が太陽から集めたエネルギーだ。

　植物は空気でできている。木に含まれる炭素は、空気から集められた CO_2 が、光合成のプロセスで水（H_2O）と結びついて、植物に取り込まれたものだ。本書は空気、水、そして日光からできているわけだ。ページを燃やせば炭素は CO_2 と水に戻るが、このとき同時に、捉えた太陽光が解き放たれる。木、石油、あるいは紙が燃えるときに生じる炎の熱は、この太陽光に由来している。

　8 メガジュールは、カップ 1 杯（0.2 ℓ）のガソリンに含まれるエネルギーとほぼ同じだ。あなたの車の燃費が、高速道路を時速 90 キロメートルで走行時 12.5km/ℓ だとして、あなたがガソリンの代わりにこの本を何冊もどんどん燃やして燃料にするとして、同じ速度で走るなら、本書 1 冊（原書）には 6 万 5000 ワードが含まれるので、毎分 4 万ワードずつを焼いていくことになる。これは、典型的なひとりの人間が本を読むペースよりも数十倍速い。これは次のような計算から導かれる。

$$90\frac{\text{km}}{\text{h}} \times \frac{65000\frac{\text{ワード}}{\text{冊}}}{12.5\frac{\text{km}}{\ell} \times 0.2\frac{\ell}{\text{冊}}} \approx 40000\frac{\text{ワード}}{\text{分}}$$

「このエンジン、出力200
馬力で図書館数十館ぶんの
本を消費するんだ」

海洋処分

　本に含まれる炭素は、水に紛れさせて捨てることもできる。本書を燃やすと、その炭素と水素はCO_2と水に変換される。水蒸気は雨となって降り、やがて海に入る可能性が高い。燃焼によって大気に放出されたCO_2の半分もやはり海に吸収され、数セプティリオン個（セプティリオンは10^{24}）の炭酸分子となる。空と海に分かれたCO_2がそれぞれ均一に空と海に混ざるとすると、コップ1杯の海水と肺いっぱいの空気とには、それぞれ本書由来の分子が数千個ずつ混ざっているだろう。

時間に処分してもらう方法

　あなたが本書を地面の上に置いてそのまま立ち去り、その後誰ひとりこの本に触れることがなかったなら、どうなるだろう？

　あなたがいる地域の気候によるが、本はあまり長くはもたないだろう。人間は紙を食べることはできないが、セルロース（紙の原料となる植物繊維の主成分）に蓄えられたエネルギー——すなわち燃やすと解放されるエネルギー——はさまざまな微生物の格好の糧となる。こうした微生物が繁殖するには高めの温度と高い湿度が必要なので、屋内の本棚にある限り、本は総じて安全だ。温度が低く乾燥した洞窟や、砂漠の日陰などに本を置き去りにした場合、本は何世紀ももつだろう。しかし本が、気温が高い日に一度濡れてしまうと、微生物——菌類全般——がセルロースを貪りはじめるだろう。どのページも消化され、最後には環境のなかに紛れてしまうと思われる。

　微生物に分解されにくい本なら、その運命は、置かれた場所の地質学的特徴によって決まるだろう。低地の河川敷などの、土砂が堆積するような場所に置かれたなら、本は徐々に埋まっていくだろう。岩がごつごつ露出している山地などの、堆積物が侵食されるような場所に置かれたなら、本はほぼ間違いなくぼろぼろになって、風と水によって運び去られるだろう。岩が侵食されるペースは、1年当たり

1ミリにはるかに及ばない遅々たるものなので、もしも本
書が岩でできていたなら、侵食によって完全になくなって
しまうまでに数百年、もしくは数千年かかるだろう。紙は
岩よりもはるかに柔らかいので、それほど長くかかりはす
るまい。紙は風化してぼろぼろになり、印刷された情報は
失われるだろう。

破棄できない本、または魔法のかかった本の処分

　理屈のうえでは、あなたが読んでいるこの本が破棄不可
能なこともあり得る。そんなことなどあり得ない気がする
のは確かだが、試しもせずにその可能性を排除することは
できない。破壊不可能性を調べる非破壊検査はないのだ。
　手に入れた本を処分してしまいたいが、その本を破棄す
ることができない——紙が丈夫過ぎるか、ホグワーツ図書
館（ハリー・ポッター・シリーズの魔法学校の図書館は鎖で留めら
れている）／『ロード・オブ・ザ・リング』の「力の指輪」
（ものの経年劣化を妨げる）／「ジュマンジ」（同名の絵本／映
画に出てくるゲームボードは破壊されない）のいずれかのような
状況で——とすると、どうすればいいだろう？　何かを永
遠に捨て去りたいとき、どこに捨てればいいだろう？
　私たちは、核廃棄物でこの問題に直面している。処分し

たいのだが、核廃棄物を破壊する、あるいは危険性がより
低い状態に変える方法は存在しない。なぜなら、放射性物
質を焼却したり気化させたりしても、放射能は低下しない
からだ。十分な熱を加えれば、どんなものでも、その物質
の分子を構成する原子にまで分解することができる。しか
し核廃棄物に対しては、この方法は使えない——というの
も、核廃棄物では原子そのものが問題だからだ。

「原子が問題なら、原子を分解しちゃう方法を
見つければいいんじゃないの?」

「あのねぇ、そもそもまさに
そうしたからこそ、こんな
面倒なことになったんでしょ」

　放射性廃棄物を破壊することができないなら、どこか私
たちに影響が及ばないところに持っていこうというのが一
般的な対策だ。核廃棄物をすべて1カ所に集めるのは理に
適っている——容積としては、普通はそれほど大量ではな
いのだから。そのような次第で、どこか場所を選んで、す
べての核廃棄物をそこに集めて、できる限り永続的に密封
したうえで、未来の文明がそこを掘り返したりしないよう
に警告の標識をあちこちに立てて、その場所をいつまでも

監視しつづければいい。

　現在、アメリカに存在する唯一の長期的地下核廃棄物埋設地はニューメキシコの砂漠の 655 メートル地下にあり、いくつも並んだチャンバーからなっている。核廃棄物隔離試験施設（WIPP）と呼ばれるこの施設は、私たちの核廃棄物の一部を受け入れつづけている。新しい埋設場所が選ばれるか、WIPP 施設が拡張されるかするまでのあいだは、私たちはこの問題にいつものやり方で取り組むことになる。なるべくそのことを考えないようにして、問題が消えてしまうことを望む、というやり方だ。

核廃棄物隔離試験施設

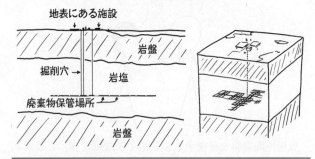

地表にある施設

岩盤

掘削穴 →

岩塩

廃棄物保管場所

岩盤

　(2)　1990 年代、私たちが埋めた核廃棄物を掘り返すなと、未来の諸文明にはっきり警告するにはどんな標識を立てればいいかを考える専門家パネルが組織され、さまざまな言語による文章、図、そして不吉な像を使った標識が検討された。この取り組み全体が、悲観と楽観が奇妙に混ざったものだった——私たちはあまりに危険で、自分たちのみならず未来の文明まで脅（おびや）かすものを生み出してしまったという意味で悲観的でありながら、その一方で、私たちがとっくに忘れられてから出現する未来の文明が存在して、私たちが残したメッセージを読んで理解してくれると信じるという意味で楽観的だったわけだ。

　ニューメキシコの WIPP 施設のトンネルは、厚さ500メートルの大昔の岩塩の層に掘られている。岩塩のトンネルは廃棄物処理に非常に便利だ。というのも、塩は非常にゆっくりとだが「流れて」いるからだ。あなたが岩塩にトンネルを掘り、その後それをほったらかしにしたとすると、トンネルは次第に収縮し、自らを封じ込めてしまうだろう。

迫り来る岩塩

　本書を WIPP 施設で処分するには、トンネルの片側の壁にくぼみを作り[(3)]、そのなかにこの本を放置すればいい。2、30年後、くぼみはふさがり、本は塩漬けになって永眠しているだろう。

　放射性廃棄物の処理方法にはもうひとつの考え方があり、提唱者たちによればこちらのほうが WIPP 方式よりも安価で安全かもしれないという。それは、廃棄物を非常に深い掘削孔に落とすという方法だ。

---

(3)　第3章「穴を掘るには」を参照のこと。

「これって、『願いがかなう井戸』
の真逆みたいよね。金属片をいくつ
もなかに落として、のちのち何の
影響もないように願ってるんだもん」

　WIPP 施設の深さは 600 メートルほどだが、石油採掘や
地質学的調査のための掘削孔[(4)]は、それよりもはるかに深い。
地表から 10 キロメートル以上の深さで、表面層を突き抜
けて、その下にある、大陸の芯をなす古代の岩の 塊（かたまり）——
地質学者たちが結晶質基盤（クリスタライン・ベースメン
ト）[(5)]と呼ぶもの——まで達するような孔もときどき掘削さ
れる。

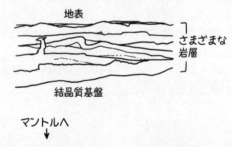

地表

さまざまな
岩層

結晶質基盤

マントルへ
↓

（4）　主に石油を探すため。
（5）　私が「クリスタライン・ベースメント」の意味を知る前にこの言葉
の意味を尋ねられたら、「マリオカート・ツアーのレベル」、「電子音楽の
一種」、「家のリフォームのプラン」、「違法合成ドラッグ」といった答を
思い浮かべただろう。

　世界各地で、結晶質基盤の岩は数十億年ものあいだ地表から隔絶されていた。そこに何かを捨てるには、長い掘削孔をまっすぐ下へと掘り、廃棄物を落とし、そして何層ものセメントと膨潤性粘土で密閉するのがいいだろう。

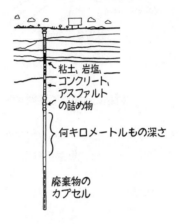

プレートの沈み込みで処分

　海洋プレートは沈み込みによって地球のマントルに吸収されてリサイクルされるので、核廃棄物を海溝に捨てて、私たちに代わって地球にこれを処理してもらってはどうかと提案する人がときどきいる。残念ながら、プレートの沈み込みは極めてゆっくりとしか進まない。仮に、廃棄物を沈み込みつつあるプレートの深さ1キロメートルの場所に埋めたとしよう。そして1万年待っても……

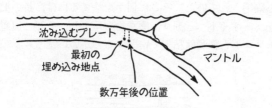

……約300メートル横に動いただけだろう。

太陽に向かって発射する

　核廃棄物を太陽に向かって発射すればいいと提案する人は多い。太陽まで届けば、廃棄物は分解して、太陽風に遠方へ運ばれるか、太陽のコアに沈むだろうというのだ。この案の最大の問題は、ロケットの打ち上げはときどき失敗するということだ。仮に、放射能を帯びた瓦礫（がれき）を何トンも搭載したロケットを100機打ち上げるとすると、打ち上げのうち1回は失敗する可能性が非常に高い。そして、核廃棄物をロケットに詰め込んで大気圏の高空で爆発させることこそ、放射性物質処理の最悪のシナリオにほかならない。

　だが、あなたが捨てようとしているのが魔法のかかった、もしくは破棄できない本1冊だけなら、太陽は捨て場所として非常に魅力的だ。本1冊なら1度の打ち上げで済むし、失敗のリスクは低減される。また、本が破壊できないなら、打ち上げが失敗したとしても、回収して再挑戦すればいいだけだ。

　物体を太陽に落とすことについて、アドバイスをしてお

こう。地球から直接太陽に向けて打ち上げるのは非常に難しい——実際、その物体を完全に太陽系の外まで届けるよりも多くの燃料が必要になるのだ。太陽に到達するもっと効率的な方法は、まずその物体を太陽系の外側の遠方まで送ることだ——ほかの惑星の重力アシストを借りてもいいだろう。物体が太陽から非常に遠くに達したら、その速度は極めて遅くなっており、その時点でほんの少し燃料を使うだけで、停止させることができるだろう——そのあとは、物体は直接太陽へと落ちるはずだ。最初から太陽に向けて打ち上げるよりもはるかに時間はかかるが、ごくわずかな燃料しか必要ない。

地球から太陽へ行く方法

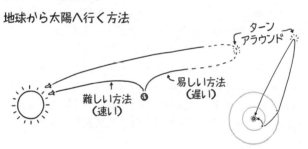

だが、もしかするとあなたは、この本を破棄したいとは思っていないかもしれない。おそらくあなたは、これをそのまま残したいと思っているのではないだろうか。

本書を保存するには

本書を掘削孔や岩塩のなかに埋めれば、理屈のうえでは

数百万年、あるいは数十億年保存することができるが、それはテクトニック・プレートの活動や、ちょっかいを出す人間や、空腹の微生物にじゃまされなかった場合の話だ。ほんとうに本を保存したければ、地球から完全に遠ざけるのがいいだろう。

　欧州宇宙機関（ESA）のロゼッタ探査機とその着陸機であるフィラエは2014年、67P/チュリュモフ・ゲラシメンコ彗星に到達した。フィラエは1000種の異なる言語で書かれた6000ページのテキストを刻み込んだニッケル-チタン合金のディスクを搭載していた。このディスクはロング・ナウ協会（サンフランシスコを拠点とする、極めて長期にわたって存続する文化を生み出すことを目指す非営利団体）が製作したもので、数千年ものあいだもつように設計されている。チュリュモフ・ゲラシメンコ彗星は数百万年にわたって安定した軌道にあると考えられているので、このディスクが彗星表面の微小隕石や宇宙線の及ばない場所に置かれているとすれば、おそらく、最も長く存続する文明よりも長い期間、損傷を受けることなく、読める状態を維持できるだろう。

ロゼッタの着陸地点

　書かれた言葉は、未来へのメッセージだ。それを読んでいる人は常に、それを書いていた人よりも未来の時間にいる。あなたがここに書かれた言葉を読んでいるのがいつのことなのか、あなたがどこにいるのか、あるいはあなたが何をしようとしているのか、私にはわからない。しかし、あなたがどこにいてどんな問題を解決しようとしているのだとしても、この本が役に立つことを、私は願っている。外には巨大で奇妙な世界がある。うまくいきそうなアイデアが、ひどい結果をもたらすこともあれば、ばかばかしいとしか思えないアイデアが革命的だったと明らかになることもある。どのアイデアがうまくいくか、前もってわかることもあるが、とにかく試してみて、どうなるかを確かめるほかないこともある。

（でも、危険がないように十分離れておいたほうがいいかもしれませんよ）

謝　辞　←

　多くのかたがたの協力があったからこそ、本書は実現した。専門知識や力を貸してくださったかたが大勢いた。科学のために１機のドローンを進んで犠牲にしてくださった、セリーナ・ウィリアムズとアレクシス・オハニアンに、そしてそのようなことをしてもおそらく問題はないだろうと言ってくださったケイト・ダーリンに感謝いたします。私に思いつくことのできる最もばかばかしい質問に答えてくださったクリス・ハドフィールド大佐、さらに宇宙を終わらせないようにと警告してくださったケイティー・マックにお礼申し上げます。そして、方程式や測定値について協力してくださった、クリストファー・ナイトとニック・マードックに感謝いたします。

　面白い世論調査結果を探してくださった、キャスリーン・ウェルドンとローパー世論調査センターの皆さん、また、世論に関する私の問い合わせに答えてくださった、ハフポストの世論調査担当編集者アリエル・エドワーズ－レビューに、感謝申し上げます。学部学生だった当時の研究を公開してくださっているアンナ・ロマノフとデイヴィッド・アレンに、そして友情に関する研究を本書に使わせてくださったルーベン・トーマス博士に感謝いたします。インフラソナタを作る際にご協力くださったグレッグ・レッパートに、そしてウォルド・ジャクイスの家に侵入し、彼が私に

溶岩堀作成に協力してほしいと頼むきっかけを作ってくれたアリたちに、心からお礼申し上げます。

　私の文章や絵に手を入れて、本のかたちへと導いてくださり、また終始賢明で貴重な助言をくださったクリスティーナ・グリースンに感謝いたします。このすべてが実現するよう助けてくださったデレクに、またセス・フィッシュマン、レベッカ・ガードナー、ウィル・ロバーツ、そしてガーナート社のチームのほかの皆さんに、お礼申し上げます。

　私を担当してくださった、楽観的に勇ましい編集者、コートニー・ヤング、またケヴィン・マーフィー、ヘレン・イエンタス、アニー・ゴットリーブ、アシュリー・ガーランド、メイ゠ズィー・リム、ジーン・マーティン、メリッサ・ソリス、ケイトリン・ヌーナン、ガブリエル・レヴィンソン、リンダ・フリードナー、グレース・ハン、クレア・ヴァッカロ、テイラー・グラント、メアリー・ストーン、ノラ・アリス・デミク、ケイト・スターク、そして社長のジェフ・クロスキをはじめとする、リヴァーヘッド社の皆さんに心から感謝申し上げます。

　そして、本書の中身の半分について私に教えてくれて、この広大で奇妙な、わくわくする世界を私と一緒に冒険してくれている妻に、感謝します。

参考文献

第15章　小包を送るには（宇宙から）

"Apollo 13 Press Kit," NASA, April 2, 1970, https://www.hq.nasa.gov/alsj/a13/A13_PressKit.pdf.

Atchison, Justin Allen, "Length Scaling in Spacecraft Dynamics" (PhD diss., Cornell University, 2010).

The Corona Story, National Reconnaissance Office, November 1987 (Partially declassified and released under the Freedom of Information Act (FOIA), June 30, 2010).

Janovsky, R. et al., "End-of-life De-orbiting Strategies for Satellites," paper presented at Deutscher Luft- und Raumfahrtkongress, Stuttgart, Germany, September 2002.

Peck, Mason, "Sometimes Even a Low Ballistic Coefficient Needs a Little Help," *Spacecraft Lab*, May 5, 2014, https://spacecraftlab.wordpress.com/2014/05/05/sometimes-even-a-low-ballistic-coefficient-needs-a-little-help/.

Portree, David S. F. and Joseph P. Loftus, Jr., *Orbital Debris* (Houston: NASA, 1999).

Singer, Mark, "Risky Business," *The New Yorker*, July 14, 2014, https://www.newyorker.com/magazine/2014/07/21/risky-business-2.

"Taco Bell Cashes In on Mir," BBC News, March 20, 2001, http://news.bbc.co.uk/2/hi/americas/1231447.stm.

Yamaguchi, Mari, "Can an Origami Space Shuttle Fly from Space to Earth," *USA Today*, March 27, 2008, https://usatoday30.usatoday.com/tech/science/space/2008-03-27-origami-space-shuttle_N.htm/.

第16章　家に電気を調達するには（地球で）

"Appendix A: Frequently Asked Questions" in *Woody Biomass Desk Guide and Toolkit* adapted by Sarah Ashton, Lauren McDonnell, and Kiley Barnes (Washington, D.C.: National Association of Conservation Districts): 119-130.

Arevalo, Ricardo, Jr., William F. McDonough, and Mario Luong, "The K/U Ration of the Silicate Earth," *The Earth and Planetary Science Letters* 278, no. 3-4 (February 2009): 361-369.

Chacón, Felipe, "The Incredible Shrinking Yard!," Trulia, October 18, 2017, https://www.trulia.com/research/lot-usage/.

"Environmental Impacts of Geothermal Energy," Union of Concerned Scientists, accessed March 28, 2019, https://www.ucsusa.org/clean_energy/our-energy-choices/renewableenergy/environmental-impacts-geothermal-energy.html.

"Coal Explained: How Much Coal is Left," U.S. Energy Information Administration, last modified November 15, 2018, https://www.eia.gov/energyexplained/index.php?page=coal_reserves.

"How Much Do Solar Panels Cost for the Average House in the US in 2019?," SolarReviews, last modified March 2019, https://www.solarreviews.com/solar-panels/solar-panel-cost/.

"How Much Electricity Does an American Home Use?," Frequently Asked Questions, U.S. Energy Information Administration, last modified October 26, 2018, https://www.eia.gov/tools/faqs/faq.php?id=97&t=3.

NOAA National Centers for Environmental Information, "Climate at a Glance: National Time Series," accessed March 28, 2019, https://www.ncdc.noaa.gov/cag/.

Rinehart, Lee, "Switchgrass as a Bioenergy Crop," ATTRA (NCAT, 2006).

"Section 6: Geography and Environment" in *Statistical Abstract of the United States: 2004-2005* (U.S. Census Bureau, 2006), 211-236.

"Solar Maps," National Renewable Energy Laboratory, accessed March 28, 2019, https://www.nrel.gov/gis/solar.html.

"Solar Resource Data and Tools," National Renewable Energy Laboratory, accessed March 28, 2019, https://www.nrel.gov/grid/solar-resource/renew

able-resource-data.html.

"Transparent Cost Database," Open Energy Information, last modified November 2015, https://openei.org/apps/TCDB/transparent_cost_database#blank.

"U.S. Crude Oil and Natural Gas Proved Reserve, Year-End 2017," U.S. Energy Information Administration, last modified November 29, 2018, https://www.eia.gov/naturalgas/crudeoilreserves/.

"U.S. Uranium Reserves Estimates," U.S. Energy Information Administration, last modified July 2010, https://www.eia.gov/uranium/reserves/.

第17章　家に電気を調達するには（火星で）

Boardman, Warren P. et al., Firestream Ram Air Turbine, U.S. Patent 2,986,219 filed May 27, 1977, issued May 30, 1961.

"Country Comparison: Electricity–Consumption," *The World Factbook* (Washington, DC: Central Intelligence Agency), last modified 2016, https://www.cia.gov/library/publications/resources/the-world-factbook /fields/253rank.html.

Hoffman, N., "Modern Geothermal Gradients on Mars and Implications for Subsurface Liquids," Conference on the Geophysical Detection of Subsurface Water on Mars (August 2001).

Hollister, David, "How Wolfe's Tether Spreadsheet Works," *Hop's Blog*, December 16, 2015, http://hopsblog-hop.blogspot.com/2015/12/how-wolfes-tether-spreadsheet-works.html.

"Sounds on Mars," The Planetary Society, accessed March 29, 2019, http://www.planetary.org/explore/projects/microphones/sounds-on-mars.html.

Weinstein, Leonard M., "Space Colonization Using Space-Elevators from Phobos," AIP Conference Proceedings (American Institute of Physics, 2003): 1227-1235.

第18章　友だちをつくるには

Gallup Organization, Gallup Poll (AIPO), January 1990, USGALLUP.922002.Q20, Cornell University, Ithaca, NY: Roper Center for Public Opinion Research, iPOLL.

National Institute for Transforming India, "Population Density (Per Sq. Km.)," last modified March 30, 2018, http://niti.gov.in/content/population-density-sq-km.

Thomas, Reuben J., "Sources of Friendship and Structurally Induces Homophily across the Life Course," *Sociological Perspectives* (February 11, 2019).

第19章　ファイルを送るには

Cisco, "Cisco Global Cloud Index: Forecast and Methodology, 2016-2021 White Paper," November 19, 2018, https://www.cisco.com/c/en/us/solutions/collateral/service-provider/global-cloud-index-gci/white-paper-c11-738085.html.

Erlich, Yaniv and Dina Zielinski, "DNA Fountain Enables a Robust and Efficient Storage Architecture," *Science* 355, no. 6328 (March 2017): 950-954.

Gibo, David L. and Megan J. Pallett, "Soaring Flight of Monarch Butterflies *Danaus Plexippus* (Lepidoptera: Danaidae), During the Late Summer Migration in Southern Ontario," *Canadian Journal of Zoology* 57, no. 7 (1979): 1393-1401.

"Intel/Micron 64L 3D NAND Analysis," *TechInsights*, accessed March 29, 2019, https://techinsights.com/technology-intelligence/overview/latest-reports/intel-micron-64l-3d-nand-analysis/.

Mizejewski, David, "How the Monarch Butterfly Population is Measured," National Wildlife Federation, February 7, 2019, https://blog.nwf.org/2019/02/how-the-monarch-butterfly-population-is-measured/.

Morris, Gail, Karen Oberhauser, and Lincoln Brower, "Estimating the Number of Overwintering Monarchs in Mexico," Monarch Joint Venture, December 6,

2017, https://monarchjointventure.org/news-events/news/estimating- the-number-of-overwintering-monarchs -in-mexico.

Stefanescu, Constantí et al., "Long-Distance Autumn Migration Across the Sahara by Painted Lady Butterflies: Exploiting Resource Pulses in the Tropical Svannah," *Biology Letters* 12, no. 10 (October 2016).

Talavera, Gerard and Roger Vila, "Discovery of Mass Migration and Breeding of the Painted Lady Butterfly *Vanessa Cardui* in the Sub-Sahara," *Biological Journal of the Linnean Society* 120, no. 2 (February 2017): 274-285.

Walker, Thomas J. and Susan A. Wineriter, "Marking Techniques for Recognizing Individual Insects," *The Florida Entomologist* 64, no. 1 (March 1981): 18-29.

第20章　スマートフォンを充電するには（コンセントが見つからないときに）

Jacobson, Mark Z. and Cristina L. Archer, "Saturation Wind Power Potential and its Implications for Wind Energy," *Proceedings of the National Academy of Sciences of the United States of America* 109, no. 39 (September 2012): 15679-15684.

Max Planck Institute for Biogeochemistry, "Gone with the Wind: Why the Fast Jet Stream Winds Cannot Contribute Much Renewable Energy After All," ScienceDaily, November 30, 2011, https://www.sciencedaily. com/releases/2011/11/111130100013.htm.

Rancourt, David, Ahmadreza Tabesh, and Luc G. Fréchette, "Evaluation of Centimeter-Scale Micro Wind Mills," paper presented at *7th International Workshop on Micro and Nanotechnology for Power Generation and Energy Conversion App's*, Freiburg, Germany, November 2007.

Romanov, Anna Macquarie and David Allen, "A Bicycle with Flower-Shaped Wheels," Differential Geometry Final Project, Colorado State University, 2011.

World Energy Resources (London: World Energy Council, 2016).

第21章　自撮りするには

Chang, Hsiang-Kuang, Chih-Yuan Liu, and Kuan-Ting Chen, "Search for Serendipitous Trans-Neptunian Object Occultation in X-rays," *Monthly Notices of the Royal Astronomical Society* 429, no. 2 (February 2013): 1626-1632.

Colas, F. et al., "Shape and Size of (90) Antiope Derived From an Exceptional Stellar Occultation on July 19, 2011," paper presented at *American Geophysical Union, Fall Meeting*, December 2011.

Larson, Adam M. and Lester Loschky, "The Contributions of Central versus Peripheral Vision to Scene Gist Recognition," *Journal of Vision* 9, no. 10 (September 2009): 6.1-16.

第22章　ドローンを落とすには（スポーツ用品を使って）

"All-Star Skills Competition 2012: Canadian Tire NHL Accuracy Shooting," Canadian Broadcasting Corporation, accessed March 29, 2019, https://www.cbc.ca/sports-content/hockey/nhlallstargame/skills/accuracy-shooting.html.

"Distance from Center of Fairway," PGA Tour, continuously updated, https://www.pgatour.com/stats/stat.02421.html.

Kawamura, Katsue et al., "Baseball Pitching Accuracy: An Examination of Various Parameters When Evaluating Pitch Locations," *Sports Biomechanics* 16, no. 3 (August 2017): 399-410.

Kempf, Christopher, "Stats Analysis: Running for Cover," Professional Darts Corporation, October 1, 2019, https://www.pdc.tv/news/2019/01/10/stats-analysis-running-cover.

Landlinger, Johannes et al., "Differences in Ball Speed and Accuracy of Tennis Groundstrokes Between Elite and High-Performance Players," *European Journal of Sport Science* 12, no. 4 (October 2011): 301-308.

Michaud-Paquette, Yannick et al., "Whole-Body Predictors of Wrist and Shot Accuracy in Ice Hockey," *Sports Biomechanics* 10, no. 1 (March 2011): 12-21.

Morris, Benjamin, "Kickers Are Forever," *FiveThirtyEight*, January 28, 2015, https://

fivethirtyeight.com/features/kickers-are-forever/.

Wells, Chris, "Stat Sheet: 10 Facts from Rio 2016 Olympics Entry List," World Archery, July 18, 2016, https://worldarchery.org/news/142029/stat-sheet-10-facts-rio-2016-olympics-entry-list.

第23章　自分が1990年代育ちかどうか判別するには

"Figure 6. Yield of Atmospheric Nuclear Tests Per Year Shown by Bars," graph, from "Is There an Isotopic Signature of the Anthropocene?," *The Anthropocene Review* 1, no. 3 (December 2014): 8.

Goldman, G.S. and P.G. King, "Review of the United States Universal Vaccination Program: Herpes Zoster Incidence Rates, Cost-Effectiveness, and Vaccine Efficacy Based Primarily on the Antelope Valley Varicella Active Surveillance Project Data," *Vaccine* 31, no. 13 (March 2013): 1680-1694.

Gulson, Brian L. and Barrie R. Gillings, "Lead Exchange in Teeth and Bone—A Pilot Study Using Stable Lead Isotopes," *Environmental Health Perspectives* 105, no. 8 (August 1997): 820-824.

Gulson, Brian L., "Tooth Analyses of Sources and Intensity of Lead Exposure in Children," *Environmental Health Perspectives* 104, no. 3 (March 1996): 306-312.

Hua, Quan, Mike Barbetti, and Andrzej Z. Rakowski, "Atmospheric Radiocarbon for the Period 1950-2010," *Radiocarbon* 55, no. 4 (2013): 2059-2072.

Lopez, Adriana S., John Zhang, and Mona Marin, "Epidemiology of Varicella During the 2-Dose Varicella Vaccination Program—United States, 2005-2014," U.S. Department of Health and Human Services *Morbidity and Mortality Weekly Report* 65, no. 34 (September 2016): 902-905.

Mahaffey, Kathryn R. et al., "National Estimates of Blood Lead Levels: United States, 1976-1980—Association with Selected Demographic and Socioeconomic Factors," *The New England Journal of Medicine* 307 (1982): 573-579.

Stamoulis, K. C. et al., "Strontium-90 Concentration Measurements in Human Bones and Teeth in Greece," *The Science of the Total Environment* 229 (1999): 165-182.

第24章　選挙で勝つには

"3 Caseys Stirring Confusion," *Pittsburgh Post-Gazette*, October 21, 1976.

ローパー世論調査センターが収集した、世論調査の質問の全文より。

・（人々が次のような状況で自分の携帯電話を使うのは、構わないか、好ましくないか、いずれだと思いますか?）……映画館その他の、通常は静かな場所で。

・運転中に、携帯電話もしくはその他の電子デバイスでメールを送ることは、合法、違法のどちらにすべきだと思いますか?

・（今、ぱっと思い浮かんだ答をお教えください。次の各項目について、あなたは肯定的、否定的、いずれのイメージをお持ちですか?）小規模事業者についてはいかがですか?

・雇用者は被雇用者の遺伝に関する記録またはDNAの照会が、被雇用者の許可なく可能であるべきか、それとも可能であるべきではないでしょうか?

・テロとの戦いにおいて、テロリズムに関わる資金洗浄に刑事罰を科すことを、あなたは支持しますか?　それとも反対ですか?

・現在、その仕事に就くためには、試験に合格し、政府の免許を取得せねばならない職業がたくさんあります。市民が良いサービスが受けられることを保証するには、これは必要なことだという人もいれば、これはさまざまなサービスのコストを上げるだけだという人もいます。次のそれぞれの職業について、政府の免許制度は良いか、悪いか、あなたはどちらだとお考えでしょうか?……医者。

・将来、アメリカが再び戦争を始めることを正当化するような状況に関する議論が、このところ盛んになっています。あなたは、アメリカが侵略されたら、再び戦争を始めるに値すると思いますか?

・「クリスタル・メス」とも呼ばれる、メタンフェタミンの使用は、合法、違法のいずれにすべきだと思いますか?

・あなたは、あなたの友人たちに、満足していますか?　それとも不満ですか?

・今よりも2倍外見が魅力的になるけれども、知性は半分になる薬が手に入るとしたら、あなたはそれを飲みますか?　それとも飲みませんか?

・(次の文章のそれぞれは、正しい、間違っているのいずれだと思うかをお答えください)……水に入って遊んでいる子どもたちを大人が見守っているときは常にしっかり目を配るべきであり、本を読んだり電話で話したりしてはならない。

・(あなたが現在雇用されている・いないにかかわらず、働いている人々のことを思い浮かべ、次のそれぞれについて、構わないと思うか、よくないと思うか、お答えください) コンピュータ、電子機器、電話、その他の品物など、高価なものを盗むのは、構わないと思いますか?　それとも、良くないと思いますか?

・次のようなことが、年々広まってきているという人々がいますが、あなたのご意見をお聞かせください。誰かにお金を払って、大学の期末レポートを書いてもらうのは、構わない、よくない、いずれだと思いますか?

・次に読み上げるのは、人々がそうなってほしいと言っていることです。飢餓に苦しむ人の数が急激に減少してほしいと、あなたは思いますか?

・(次に読み上げるのは、人々がそうなってほしいと言っていることです) テロリズムと暴力が減少してほしいと、あなたは思いますか?　それとも、思いませんか?

・次に読み上げるのは、人々がそうなってほしいと言っていることです。あなたは、失業率が高い状態が終わることを望みますか?　それとも、望みませんか?

・次に読み上げるのは、人々がそうなってほしいと言っていることです。あなたは、飢餓の撲滅を望みますか?　それとも、望みませんか?

・(次に読み上げるのは、人々がそうなってほしいと言っていることです) あなたは、偏見が減少することを望みますか?　それとも、望みませんか?

・(次に挙げる人々や物が、未来を予測することができると思うかどうか、教えてください)……マジック・エイト・ボール

・次に、人々がオリンピックについて言いがちなことをいくつか読み上げますので、あなた自身がそれに同意するかしないかをお答えください。……オリンピッ

クは、素晴らしいスポーツ競技の大会だ。（必要なら、次のように質問する）あなたはこの発言に同意しますか？　それとも、同意しませんか？

第25章　ツリーを飾るには

"Airship Hangar in East Germany," *Nomadic-one*, August 18, 2011, http://www.nomadic-one.com/reflect/airship-hangar-east-germany.

"CNN/ORC Poll 12," conducted by ORC International, December 18-21, 2014.

Cohen, Michael P., *A Garden of Bristlecones* (Nevada: University of Nevada Press, 1998).

Foxhall, Emily, "Shopping Center Christmas Trees Compete for Needling Rights," *Los Angeles Times*, November 18, 2013, https://www.latimes.com/local/la-me-tree- 20131119-story.html#axzz2lCOwKcfK.

Hall, Carl T., "Staying Alive/High in California's White Mountains Grows the Oldest Living Creature Ever Found," *SFGate*, August 23, 1998, https://www.sfgate.com/news/article/Staying-Alive-High-in-California-s-White-2995266.php.

Mahajan, Subhash, "Wood: Strength and Stiffness," in *Encyclopedia of Materials: Science and Technology* (Elsevier, 2001).

"Oldlist, A Database of Old Trees," Rocky Mountain Tree-Ring Research, accessed March 29, 2019, http://www.rmtrr.org/oldlist.htm.

Preston, Richard, "Tall for Its Age," *New Yorker*, October 9, 2006, https://www.newyorker.com/magazine/2006/10/09/tall-for-its-age.

Ray, Charles David, "Calculating the Green Weight of Wood Species," Penn State Extension, last modified June 30, 2014, https://extension.psu.edu/calculating-the-green-weight-of-wood-species.

Sussman, Rachel, *The Oldest Living Things in the World* (Chicago: University of Chicago Press, 2014).

第26章　どこかに速く到着するには

Chase, Scott et al., "The Relativistic Rocket," The Physics and Relativity FAQ, UC Riverside Department of Mathematics, last modified 2016, http://math.ucr.edu/home/baez/ physics/index.html.

Davis, Tamara M. and Charles H. Lineweaver, "Expanding Confusion: Common Misconceptions of Cosmological Horizons and the Superluminal Expansion of the Universe," *Publications of the Astronomical Society of Australia* 21, no.1 (March 2013): 97-109.

"Plot of Distance (in Giga Light-Years) vs. Redshift According to the Lambda-CDM Model," Wikimedia Commons, accessed March 29, 2019, https://en.wikipedia.org/ wiki/Redshift#/media/File:Distance_compared_to_z.png.

第27章　約束の時間を守るには

15 "U.S. Code §262. Duty to Observe Standard Time of Zones," *Code of Federal Regulations*, Mar. 19, 1918, ch. 24, §2, 40 Stat. 451; Pub. L. 89-387, §4(b), Apr. 13, 1966, 80 Stat. 108; Pub. L. 97-449, §2(c), Jan. 12, 1983, 96 Stat. 2439.

49 "CFR Part 71–Standard Time Zone Boundaries," *Code of Federal Regulations*, Secs. 1-4, 40 Stat. 450, as amended; sec. 1, 41 Stat. 1446, as amended; secs. 2-7, 80 Stat. 107, as amended; 100 Stat. 764; Act of Mar. 19, 1918, as amended by the Uniform Time Act of 1966 and Pub. L. 97-449, 15 U.S.C. 260-267; Pub. L. 99-359; Pub. L. 106-564, 15 U.S.C. 263, 114 Stat. 2811; 49 CFR 1.59(a).

Allen, Steve, "Plots of Deltas between Time Scales," UC Observatories, accessed May 20, 2019, https://www.ucolick.org/~sla/leapsecs/deltat.html.

Morrison, L.V. and F. R. Stephenson, "Historical Values of the Earth's Clock Error ΔT and the Calculation of Eclipses," *Journal for the History of Astronomy* 35, no. 120 (2004): 327-336.

Na, Sung-Ho, "Tidal Evolution of Lunar Orbit and Earth Rotation," *Journal of the Korean Astronomical Society* 47, no. 1 (April 2012): 49-57.

Nazarli, Amina, "Azerbaijan Cancels Daylight Saving Time—Update," *Azernews*, March 17, 2016, https://www.azernews.az/nation/94137.html.

第28章　この本を処分するには

Caporuscio, Florie et al., "Salado Flow Conceptual Models Final Peer Review Report," Waste Isolation Pilot Plant, U.S. Department of Energy, March 2003.

"The Deterioration and Preservation of Paper: Some Essential Facts," Library of Congress, accessed May 3, 2019, https://www.loc.gov/preservation/care/deterioratebrochure.html.

Erdincler, Aysen Ucuncu, "Energy Recovery from Mixed Waste Paper," *Waste Management and Research* 11, no. 6 (November 1993): 507-513.

Jackson, C.P. et al., "Sealing Deep Site Investigation Boreholes: Phase 1 Report," Nuclear Decommissioning Authority, May 14, 2014.

Jefferies, Nick et al., "Sealing Deep Site Investigation Boreholes: Phase 2 Report," Nuclear Decommissioning Authority, March 23, 2018.

Pusch, Roland and Gunnar Ramqvist, "Borehole Project—Final Report of Phase 3," Swedish Nuclear Fuel and Waste Management Co., 2007.

Pusch, Roland and Gunnar Ramqvist, "Borehole Sealing, Preparative Steps, Design and Function of Plugs—Basic Concept." *SKB Int. Progr. Rep. IPR-04-57* (2004).

Pusch, Roland et al., "Sealing of Investigation Boreholes, Phase 4—Final Report," Swedish Nuclear Fuel and Waste Management Co., 2011.

Sequeira, Sílvia Oliveira, "Fungal Biodeterioration of Paper: Development of Safer and Accessible Conservation Treatments" (PhD diss., NOVA University Lisbon, 2016).

Teijgeler, René, "Preservation of Archives in Tropical Climates: An Annotated Bibliography," International Council on Archives (Jakarta, 2001).

Ximenes, Fabiano, "The Decomposition of Paper Products in Landfills," Appita Annual Conference (2010): 237-242.

訳者あとがき

　突拍子もない質問に科学で答える『ホワット・イフ？』、科学絵本『ホワット・イズ・ディス？』（ともに早川書房刊）に続く、元 NASA エンジニアの人気ウェブ漫画家、ランドール・マンローの新しい本、『ハウ・トゥー』が登場した。『ハウ・トゥー』は、「川を渡る」、「ピアノを弾く」、「スマホを充電する」、など、一見日常的な課題を解決するために、あえて「とんでもない」方法を科学を使って探っていく。たとえば、川を渡る場合。「歩いて渡る」や「跳び越える」にはじまり、「川の表面を凍らせる」から、ついには「川を沸騰させて干上がらせる」に至る。そんなことは実際にはできません。本書は、何かを最も効率的に行なう方法を教える実用書ではないのだ。

　熱力学の第２法則を説明するのに、川を凍結する話をする必要はない。しかし、この法則のおかげで、川を凍結するには、川の流れほどのガソリンで製氷装置を稼働しなければならないとわかれば、仰天して笑ってしまう。

　頭上を飛び回って鬱陶しいドローンを落とすにはどうするか。マンローは、ボールなどのスポーツ用具を投げてドローンにぶつけてはどうか、と提案し、さまざまなスポーツの、ドローン攻撃に関する有効性を比較する方法を考案する（これを考案してしまうところもすごい）。本書の「解決策」は、ほとんどが実行できないが、この章の思考

実験は、マンローもぜひ現実世界で試してみたいと考え、なんと、テニスのスーパースター、セリーナ・ウィリアムズに協力を打診する。ウィリアムズは快諾し、実験が行なわれる。その顛末が本書で公表されているわけだ。

　マンローは少年時代、質問好きで大人を困らせていただけではなく、自分が新しく知ったことを、人に教えて回るのも大好きだった。だが、自分がどんなに面白いと思おうが、相手の興味を引くように話さなければ、誰も聞いてくれない。

　物理法則を使って、極端だが面白い方法を考え、それを人に伝えることで、科学って、すごく興味深いんだよ、科学を知っていると、日常のことも新鮮に、面白く見えてくるんだよと、みんなに感じてもらおう。自分が知ったことを、それを知ることのわくわく感までも含めて、人々と共有したい心を今も失わないマンローは、それを実現するこんな方法を編み出したのだ。ウィリアムズや、国際宇宙ステーションのコマンダーだったクリス・ハドフィールド大佐ほか多くの専門家が彼に共感して、本書に協力しているのも素晴らしい。

　マンローの世界って楽しいね。なぜかな。と、感じてほしい。すると、ユーモラスな漫画にちゃんと科学が伴っていて、科学を人々と共有するのが何よりうれしいと思う人がこれを書いているのだとわかる。「学ぶ」行為が効率主義的になっては、せっかくの知的冒険が、味気なく退屈な、単なる義務に堕してしまう。柔らかい発想が枯渇した、つまらない世の中になってしまわないように、多くの人に本書を楽しんでいただけたらと切に願う。

　今回も早川書房のみなさまをはじめ多くの方にお世話になり、御礼申し上げます。

※※※

　この度、『ハウ・トゥー』が文庫版となり、より一層気軽に楽しんでいただけるようになった。

　原書出版時の 2019 年 3 月、科学技術系ニュースサイト「ザ・ヴァージ」のインタビューで、元々ウェブ漫画家だったマンローは、前著『ホワット・イフ ?』を紙の本として出版した際に、ウェブを見に来てくれるのとは違う人々に新たに読者になってもらえた驚きと喜びを語っている。新しい媒体は新しい読者に届く可能性を広げてくれる。この文庫版もそうあってほしいと願う。マンロー流ユーモアサイエンス、楽しまないのはもったいない。かのビル・ゲイツも『ハウ・トゥー』は「大爆笑のおもしろさ」とコメントしているほか、マンローの紙の本をすべて「おすすめの 240 冊」リストに挙げているほどだ。

　マンローのウェブ漫画サイト xkcd は、毎週月水金に更新されている。最近では、2021 年 12 月に打ち上げ予定のジェームズ・ウェッブ宇宙望遠鏡がらみのネタなど時の話題を取り入れつつ、独自の世界を広げ続けている。ぜひ、時々見に行って、マンローの柔らか思考を味わいつつ、科学の面白さに触れてください。

　文庫化にあたり大変お世話になった田坂毅氏をはじめ、

早川書房の皆様に感謝申し上げます。

2021 年 12 月

電球を
交換するには

本書は、2020 年 1 月に早川書房より単行本『ハウ・トゥー　バカバカしくて役に立たない暮らしの科学』として刊行された作品を二分冊し『ハウ・トゥー　Ｑ２　紙の本を 10 億年保存するには』と改題、文庫化したものです。

訳者略歴　京都大学理学部物理系
卒業　英日・日英の翻訳業　訳書
にマンロー『ホワット・イフ？』
『ホワット・イズ・ディス？』，
クラウス『ファインマンさんの流
儀』，タイソン『ブラックホール
で死んでみる』（以上早川書房
刊）他多数

HM=Hayakawa Mystery
SF=Science Fiction
JA=Japanese Author
NV=Novel
NF=Nonfiction
FT=Fantasy

ハウ・トゥー
Q2　紙の本を10億年保存するには

〈NF585〉

二〇二二年一月十日　印刷
二〇二二年一月十五日　発行

（定価はカバーに表示してあります）

著　者　　ランドール・マンロー
訳　者　　吉田三知世
発行者　　早川　浩
発行所　　会株式　早川書房
　　　　　東京都千代田区神田多町二ノ二
　　　　　郵便番号　一〇一─〇〇四六
　　　　　電話　〇三─三二五二─三一一一
　　　　　振替　〇〇一六〇─三─四七七九九
　　　　　https://www.hayakawa-online.co.jp

乱丁・落丁本は小社制作部宛お送り下さい。
送料小社負担にてお取りかえいたします。

印刷・三松堂株式会社　製本・株式会社川島製本所
Printed and bound in Japan
ISBN978-4-15-050585-1 C0140

本書は活字が大きく読みやすい〈トールサイズ〉です。